Sabine Jentges | Elke Körner | Angelika Lundquist-Mog |
Kerstin Reinke | Eveline Schwarz | Kathrin Sokolowski

DaF leicht

A1.1

Kurs- und Übungsbuch mit DVD-ROM

Ernst Klett Sprachen
Stuttgart

Die Symbole bedeuten:

ꗞꗞ   Sie arbeiten zu zweit.

ꗞꗞꗞ   Sie arbeiten in der Gruppe.

Track 1   Sie hören einen Audio-Track.

Clip 1   Sie sehen einen Grammatik-Clip.

Film 1   Sie sehen einen Landeskunde-Film.

Seite 101   Das sind passende Seiten im Kurs- und Übungsbuch.

Kurs- und Übungsbuch A1.1 mit DVD-ROM	978-3-12-676250-2
Kurs- und Übungsbuch A1.2 mit DVD-ROM	978-3-12-676251-9
Lehrerhandbuch A1	978-3-12-676252-6
Medienpaket A1	978-3-12-676253-3
DaF leicht A1 digital, DVD-ROM	978-3-12-676254-0
Grammatik-Clips A1 mit Kopiervorlagen	978-3-12-676265-6
Prüfungstrainer A1 mit Audios	978-3-12-676270-0

1. Auflage 1 ¹⁰ ⁹ ⁸ | 2022 21 20

Autorinnen: Sabine Jentges, Elke Körner, Angelika Lunquist-Mog, Kerstin Reinke (Phonetik),
Eveline Schwarz, Kathrin Sokolowski
Beratung: Manfred Schifko, Dietmar Rösler (Grammatik-Clips)

Redaktion: Renate Weber
Redaktionelle Mitarbeit Übungsbuch: Barbara Stenzel
Gestaltungskonzeption: Gert Albrecht, Stuttgart; Claudia Stumpfe
Satz: Eva Mokhlis, Stuttgart; Kathrin Romer, Hamburg
Illustrationen: Gert Albrecht, Stuttgart; D-A-C-H-L-Karte 70.1, 71.1: Paweł Miedziński, Poznań
Umschlaggestaltung: Sabine Kaufmann
Reproduktionen: Meyle + Müller, Medien-Management, Pforzheim;
Corinna Rieber, Druckvorstufe, Marbach (10.1, 22.1, 34.1, 36.1, 40.1/41.1)
Druck und Bindung: DRUCKEREI PLENK GmbH & Co. KG, Berchtesgaden
Printed in Germany

ISBN: 978-3-12-676250-2

MIX
Paper from
responsible sources
FSC® C005370
www.fsc.org

DaF leicht
– so geht's:

Zum Einstieg ein Foto und Fragen

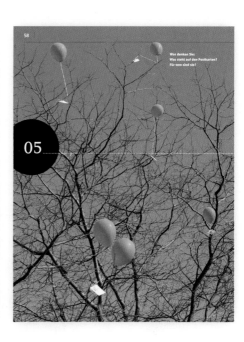

- mit rätselhaften Fotos auf die Lektion neugierig machen
- mit ein paar Fragen Vorwissen abrufen und in den Unterricht starten

„DIE FOTOS MACHEN
LUST AUF DIE LEKTION!"

Lernziele

- für die Lernenden kommunikativ
- für die Lehrenden fachsprachlich

Wie heißt du?

→ Hallo! Guten Tag!
→ Ich bin … und ich komme aus …
→ Wie heißt du? Wie heißen Sie?
→ Ich heiße …, er/sie heißt …
→ Kaffee oder Tee?
   Ich mag Kaffee und Tee.
→ Wie geht's? Danke, gut.
→ Tschüss! Auf Wiedersehen!

- *Kommunikation: sich begrüßen und verab-
  schieden; sich und andere vorstellen*
- *Wortschatz: Internationalismen; und, oder;
  erste Verben: sein, heißen, kommen aus*
- *Grammatik: Personalpronomen (ich, du,
  er/sie, Sie); erste Verben im Singular;
  W-Fragen*
- *Phonetik: Wortakzent*
- *Landeskunde: duzen, siezen in D-A-CH*

Wie heißt das?

→ Wie heißt das auf Deutsch?
→ der Stift, das Buch, die Tasche
→ die Stifte, die Bücher, die Taschen
→ Wie schreibt man das?
→ T-A-S-C-H-E
→ Bitte./Danke.

- *Kommunikation: Wendungen für den Alltag;
  buchstabieren*
- *Wortschatz: erste Nomen für den Alltag;
  das Alphabet*
- *Grammatik: Definitartikel; Nomen im Singular
  und Plural*
- *Phonetik: Wortakzent; kurze und lange Vokale*

Signalfarbe Rot

- die Lernziele zu Lektionsbeginn und auf jeder Seite
- ergänzende Hinweise zu den Aufgaben, wo man sie braucht

1b

Stellen Sie Ihren Text vor. Notieren Sie.

Jedes Gruppenmitglied hat einen anderen Text gelesen und stellt diesen vor.

Familie A wohnt in …
Das Baby heißt …
Das Baby ist … alt.
Sie wünschen …

Alle Informationen für Lehrende in roter Schrift.

„ALLES AUF EINEN BLICK!"

B | Schnell bitte!

9a   🔊 *Track 38*

Fastfood auf Deutsch.
Welche Speisen kennen Sie? Hören Sie und ordnen Sie zu.

die Speisen:
☐ der Hamburger | ☐ die Pommes frites mit Ketschup | ☐ der Döner Kebap |
☐ die Pizza | ☐ das Hähnchen | ☐ das Sushi | ☐ der Salat |
☐ die Currywurst | ☐ die Bratwurst mit Senf |

die Getränke:
☐ das Mineralwasser |
☐ der Apfelsaft | ☐ die Cola |
☐ die Limonade | ☐ das Bier

9b

Welche Speisen mögen Sie? *Reihenübung*

A: Ich mag Hamburger. Und was magst du?
B: Ich mag Bratwurst mit Senf.
C: Ich mag …

9c

Wie heißen die Speisen in anderen Sprachen?

auf Deutsch:	in anderen Sprachen:
der Hamburger	hamburger (englisch)
…	…

9d

Was ist das? Raten Sie.

Das ist ein Hamburger.

Nein, das ist kein Hamburger.

10a

Was mögen die Deutschen?
Lesen Sie die Statistik. Welche Sätze sind richtig?

Das beliebteste Fast Food der Deutschen
Was essen sie am liebsten?

	Frauen	Männer
Döner	19%	24%
Burger	16%	22%
Pizza	21%	22%
Currywurst	8%	13%
Pommes frites	4%	10%
Bratwurst	3%	5%

Frauen:
☐ 24 Prozent mögen Döner.
☐ 8 Prozent essen gern Currywurst.
☐ Sie essen sehr gern Bratwurst.

Männer:
☐ 22 Prozent essen gern Pizza.
☐ 5 Prozent mögen Pommes frites.
☐ Sie essen sehr gern Döner.

„24 PROZENT MÖGEN DÖNER."

10b   *Seite 44 KB*

Was mögen Sie? Machen Sie eine Kursstatistik.
*Lernende bilden eine Männer- und eine Frauengruppe und diskutieren die
Fragen. Sie notieren die Ergebnisse. Anschließend Vergleich im Plenum.*

Magst du / Mögt ihr Fastfood?
Ich mag / Wir mögen Fastfood / kein Fastfood.
Es ist salzig / süß / billig / teuer / fett / ungesund / gesund / …

Wann isst du / esst ihr Fastfood?
morgens / mittags / abends / zwischendurch

Wie oft isst du / esst ihr Fastfood?
jeden Tag / oft / selten / nie
einmal / zweimal / dreimal / … pro Monat

… Frauen mögen …
… Männer mögen …
… mag …

📄 *Seite 115 ÜB*

Track 24

Ein Herz? **Hören Sie den Dialog.**

  Clip 4  *Seite 33 KB*

Hören Sie noch einmal und lesen Sie.

A: Und was ist das?
B: Hm, ein Herz!
A: Ein Herz? Das ist kein Herz!
B: Doch! Das ist ein Herz.
A: Nein, das ist kein Herz,
das sind --- Gummibärchen.
B: Nein, das sind keine Gummibärchen.
A: Okay. Das ist ein Herz und das sind
Gummibärchen.

Bilder und Visualisierungen

- interessante Fotos, witzige Illustrationen
- typische Wendungen in großen Zitaten
- neue Strukturen auf jeder Seite gelb markiert
- unterstützende Visualisierungen zur Grammatik

6 **Das Indefinitpronomen *man***

Man isst in Deutschland viel Brot.
Man isst in Deutschland gern Brot.
Man isst in Deutschland oft Brot.

der Mann $\neq$ man

Auf den ersten Blick sehen, was wichtig ist.

Themen und Texte

- ansprechende Themen, originell aufbereitet
- leichte, kurze Texte, natürliche Dialoge
- ein modernes Bild der deutschsprachigen Länder
- landeskundliche Informationen und Filme in Landeskunde extra

„WIE AUS EINEM MAGAZIN!"

Fokus auf Grammatik

- im authentischen Kontext präsentieren
- auf die neue Struktur fokussieren
- sie bewusst machen und üben
- sie selbstständig anwenden

Das Butterbrot

7a

Wann isst man ein Butterbrot? Lesen Sie und kreuzen Sie an.

☐ morgens ☐ mittags ☐ abends ☐ zwischendurch

Ein Butterbrot ist eine Scheibe Brot mit Butter.
Man isst es oft mit Schinken oder Käse oder Honig oder …
Ein Butterbrot isst man als Frühstücksbrot, als Pausenbrot
bei der Arbeit, als Abendbrot oder einfach zwischendurch.

7b Clip 5   Seite 44 KB
Finden Sie die Wörter im Text.

die Butter + das Brot = das Butterbrot
der Abend + das Brot = das
das Frühstück + das Brot = das ____s
die Pause + das Brot = das ____n

7c
Bauen Sie neue Wörter.

das Brot + der Korb	=	Brotkorb
das Brot + das Messer	=	____ Brot
das Brot + die Zeit	=	
das Brot + die Scheiben	=	

8a Track 37
Schmeckt das? Hören Sie.

8b Seite 44 KB; Seite 119 ÜB
Spielen Sie und sprechen Sie wie im Muster. 🎲🎲🎲 Würfelspiel

A: Vier … HOnig und Brot, HOnig und Brot … HOnigbrot!
Mhm! Das schmeckt gut!
B: Eins … SaLat und Brot. SaLatbrot. SaLatbrot? Igitt!
C: Sechs … GUMmibärchen … und Brot. GUMmibärchen-
brot. Mhm! Lecker!

*,,MHM, LECKER!
DAS SCHMECKT.''
,,IGITT! DAS SCHMECKT
NICHT.''*

eine Scheibe Brot …

… mit Schinken … mit Ei … mit Gummibärchen … mit ???
… mit Salat … mit Honig … mit Fisch … mit Pepperoni

Seite 114 ÜB

Grammatik-Clips

ein Hut
kein Hut

- Strukturen sehen und verstehen
- Regeln begreifen
- einfach, reduziert, witzig

*,,GRAMMATIK-LERNEN
EINMAL ANDERS!''*

*Die Grammatik-Clips kann man in der Präsentations-
phase flexibel und mehrfach einsetzen.*

Rhythmus und Struktur

- Strukturen hören und nachahmen
- Sprechrhythmus spielerisch einüben
- Sprechsicherheit aufbauen

hören, brummen, mitsprechen
hören, brummen, mitsprechen

7b Track 6

Im Rhythmus: Hören Sie.

A: HalLO! Guten MORgen, wie GEHT's?
B: HalLO! Danke GUT. Wie geht's DIR?
A: Ach JA, danke GUT. Danke GUT.

*Die Rhythmusstücke kann man so lange wiederholen,
wie es Spaß macht, und mit Gestik unterstützen.*

①
Bildwörterbuch

das Ei

03 ...... Essen und Zeit

Nomen				Adjektive	Adverbien	Kleine Wörter
das Essen (nur Sg.)	die Marmelade, -n	die Majonäse, -n	die Banane, -n	frisch	morgens	zirka
die Zeit (nur Sg.)	der Honig (nur Sg.)	der Salat, -e	das Lebensmittel, -	alt	mittags	sehr
das Brot, -e	die Milch (nur Sg.)	das Hähnchen, -		viel	abends	man
das Weißbrot, -e	das Butterbrot, -e	das Wasser (nur Sg.)	**Verben**	wenig	immer	einmal / zweimal / ...
das Schwarzbrot, -e	das Abendbrot (nur Sg.)	das Mineralwasser (nur Sg.)	essen, isst	weich	oft	pro Person / Monat / Jahr
das Brötchen, -	die Scheibe, -n Brot	der Saft, -ä-e	trinken	hart	selten	jeden Tag
die Brezel, -n	der Korb, -ö-e	der Apfelsaft, -ä-e	bestellen	warm	nie	
	der Fisch, -e	die Cola, -s	bezahlen			

Im Übungsbuch lernen und üben

- Lernwortschatz mit Bildern und Tipps

- pro Einheit im Kursbuch eine Seite mit Übungen

- Wortschatz und Grammatik selbstständig üben

- als Hausaufgabe oder für Stillphasen im Unterricht

- eine Seite Schreibtraining:

  Rechtschreibung, kreative und persönliche Texte

- eine Seite Aussprachetraining:

  Einzelphänomene erkennen,

  differenzieren, üben

16a **▤**   *Seite 40 KB, 9a*

Markieren Sie 11 Speisen und Getränke.

S	U	S	H	I	P	O	U	B	A
H	A	M	B	U	R	G	E	R	P
P	O	M	M	E	S	L	B	A	F
I	J	B	A	K	K	Ö	I	T	E
Z	Y	P	S	B	C	I	E	W	L
Z	R	W	A	S	S	E	R	U	S

KäseKäse KäseKäse KäseKäse
WurstWurstWurstWurstWurstWurst
ButterButterButterButterButterButter
BrotBrotBrotBrotBrot

die **Brat**wurst

der **Wur**stsalat

Online wiederholen und testen

- pro Lektion 5 Übungen mit allen

  wichtigen Themen der Lektion

- mit Übungs- und Testmodus

- mit Hilfen / mit Auswertung

  auf www.klett.de/dafleicht

Medienvielfalt

- alle Audios, Grammatik-Clips und

  Landeskunde-Filme auf der DVD-ROM

- und für Tablets und Smartphones auf

  www.klett-sprachen.de/dafleicht-online

- oder extra im Medienpaket mit

  CDs und DVD

„*LERNEN – WANN UND WO MAN WILL!*"

8

Inhalt

„*ICH MAG SCHOKOLADE.*“

01

„*ICH REISE GERN. UND DU?*“

02

„*EINE BREZEL BITTE.*“

03

„AM MONTAG HABE ICH FREI."

„WIR MÖCHTEN VIEL."

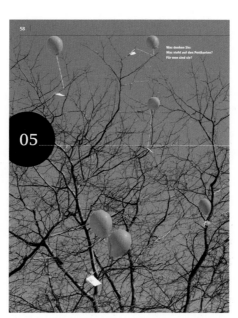

Lach doch mal!

01

Was sagen Sie in Ihrem Land?
Was ist Deutsch?

Hallo! Guten Tag!

Hanna Rogge, Hamburg

Kento Sato, Graz

Philip Meier, Köln

A | Wie heißt du?

1 *Track 1*

Hallo! **Sehen Sie die Fotos an und hören Sie. Wer spricht?**
Nummerieren Sie.

2a *Track 2*

Wie heißt du? **Hören Sie die Dialoge. Lesen Sie mit.**

„*MEIN NAME IST
JONAS. ICH KOMME
AUS BERLIN.*"

2b

Lesen Sie die Dialoge.

A: Hallo, ich heiße Jonas. Ich komme aus Berlin. Und du?
Wie heißt du?
B: Hallo, ich heiße Hanna. Ich komme aus Hamburg.

C: Tag. Ich bin Ina aus Köln. Und wer bist du?
A: Hallo. Mein Name ist Jonas. Ich komme aus Berlin.

D: Hallo, ich heiße Paul Simon.
E: Hallo, Simon.
D: Nein, nein, Paul ist mein Vorname. Simon ist mein Nachname.
E: Ah, Paul. Mein Vorname ist Kento. Mein Nachname ist Sato.
Ich komme aus Graz. Und du?
D: Ich komme aus Bern.

E: Guten Tag. Ich heiße Kento Sato. Wie heißen Sie?
B: Guten Tag, Herr Sato. Ich heiße Hanna Rogge und komme aus
Hamburg.
E: Ah, aus Hamburg? Ich komme aus Österreich, aus Graz.

C: Guten Tag. Ich bin Ina Lange. Und wer sind Sie?
F: Guten Tag, Frau Lange. Ich bin Philip Meier aus Köln.
C: Aus Köln? Ich komme auch aus Köln.

Jonas Rot, Berlin *1*

Ina Lange, Köln *6*

Paul Simon, Bern *5*

2c

Variieren Sie die Dialoge mit Ihren Namen und Orten.

Lernende lesen mit wechselndem Partner.

A: Hallo, ich bin *Aidan*. Und du? Wie heißt du?
B: Hallo, ich heiße *Kolby*.

A: Guten Tag. Ich heiße _____. Wie heißen Sie?
B: Guten Tag, Herr / Frau _____. Ich heiße _____ und komme aus _____.
A: Ah, aus _____? Ich komme aus _____.

A: Guten Tag, ich bin _____. Und wer sind Sie?
B: Hallo Herr / Frau _____, ich bin _____.

A: Tag. Ich bin _____ aus _____. Und wer bist du?
B: Hallo. Mein Name ist _____. Ich komme aus _____.

3a 🔊 *Track 3*

Im Rhythmus: Hören Sie.

A: Ich heiße **Max**. Und wer bist **du**?
B: Du heißt **Max**. Ich bin **MO**ritz. Und wie heißt **du**?
C: Du heißt **Max**. Du heißt **MO**ritz. Ich bin **Pau**la.
Und wie heißen **Sie**?
D: Ich bin Herr **Mül**ler. Und wer sind **Sie**?
E: Sie sind Herr **Mül**ler. Ich bin Frau **Mei**er. Und wie heißen **Sie**?
F: Ich heiße **Schmidt**.

3b

Hören Sie und brummen Sie mit.

3c

Hören Sie und sprechen Sie im Rhythmus mit.

4

Kennenlernspiel: Stellen Sie sich im Kurs vor.

Lernende gehen im Kursraum herum und stellen sich vor.

Mein Name ist …   Mein Vorname ist …, mein Nachname ist …
Ich heiße … / Wie heißt du?   Ich bin … / Wer bist du?
        Wie heißen Sie?   Wer sind Sie?
Ich komme aus …

Seite 92 ÜB

Schokolade oder Chips?

Berlin oder Wien?

Kaffee oder Tee?

Kino oder Theater?

Berlin oder Wien?
WIEN
I love BERLIN

Sonne oder Regen?

Sport oder Musik?

Telefon oder E-Mail?

Fußball oder Tennis?

5a

Was mögen Sie? Markieren Sie.

5b

Schreiben Sie.

Ich mag

und

5c

Lernen Sie Ihren Partner / Ihre Partnerin kennen. Fragen Sie.

Kaffee oder Tee?
Ich mag Tee.
Ich mag Kaffee. / Ich mag Kaffee und Tee.

5d Clip 1 Seite 20 KB

Stellen Sie Ihren Partner / Ihre Partnerin vor.

Das ist   / Er / Sie heißt
Er / Sie kommt aus
Er / Sie mag   und

„ICH MAG SCHOKOLADE. ER MAG CHIPS.
SIE MAG KAFFEE UND TEE.“

Seite 93 ÜB

Hallo und Tschüss!

6a

Was sagen Sie wann?

Guten Morgen!   Guten Tag!   Guten Abend!   Gute Nacht!

6b *Track 4*

Hören Sie. Was sagen Sie in den Situationen? Schreiben Sie.

Situation 1

Situation 2

Situation 3

Situation 4

Situation 5

6c *Track 5*

Hören Sie, kontrollieren Sie und sprechen Sie nach.

„GUTEN MORGEN, WIE GEHT'S?"
„DANKE, GUT!"

7a

Wie geht's? Ergänzen Sie die Dialoge.

Guten Tag! Wie geht's Ihnen?   Hallo! Wie geht's dir?

Danke, gut. Und wie geht's dir? | Danke, gut. Und wie geht's Ihnen?

7b *Track 6*

Im Rhythmus: Hören Sie.

A: Hallo! Guten Morgen, wie geht's?
B: Hallo! Danke gut. Wie geht's dir?
A: Ach ja, danke gut. Danke gut.

C: Hallo! Guten Tag, wie geht's?
D: Gut. Danke gut. Wie geht's Ihnen?
C: Ja, ja, danke gut. Danke gut.

Alle: Gute Nacht! Das ist schön! Tschüss!
Auf Wiedersehen!

7c

Hören Sie und brummen Sie mit.

7d

Hören Sie und sprechen Sie im Rhythmus mit.

 Seite 94 ÜB

B | Wie heißt das?

das Handy

die Schokolade

die Brille

die Zeitung

das Portmonee

das Taschentuch

der Stift

der Schlüssel

8a 🔊 *Track 7*

Dinge in Taschen. Hören Sie und zeigen Sie auf die Dinge.

8b 🔊 *Track 8* 📄 *Seite 21 KB, Seite 99 ÜB*

Hören Sie den Wortakzent.

A: Das **Han**dy, die **Zei**tung, die **Ta**sche, …
B: der **Spie**gel, die **Bril**le, die **Fla**sche, der **Schlüs**sel und das **Ta**schentuch …
C: Und hier das **Fo**to und das **Buch**. Das **Heft**, der **Stift**, die Ziga**ret**te …
Und Schoko**la**de, hmm.

8c

Hören Sie und brummen Sie mit.

8d

Hören Sie und sprechen Sie im Rhythmus mit.

9a

Raten Sie: Was ist in Tasche A und was ist in Tasche B? Machen Sie eine Liste.

Tasche A:

Tasche B:

9b

Vergleichen Sie. 👥

In Tasche A / B sind der …, das …, die …
Nein, in Tasche A / B sind der …, das …,
die …

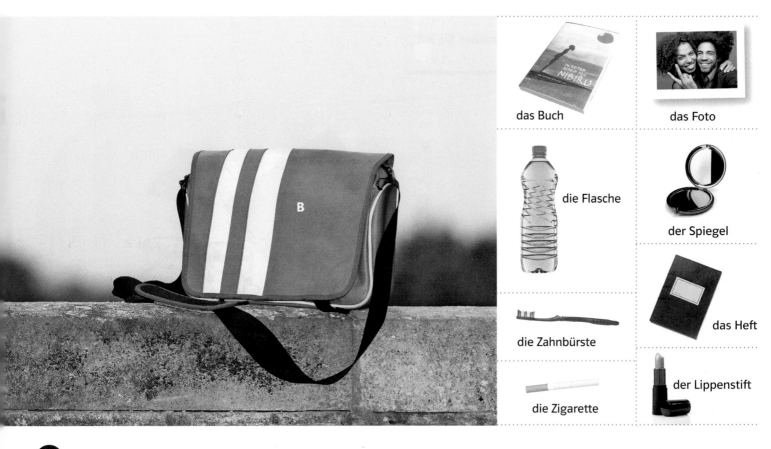

das Buch

das Foto

die Flasche

der Spiegel

die Zahnbürste

das Heft

der Lippenstift

die Zigarette

9c

Lösung: Schreiben Sie die Wörter mit Artikel.

Zei | Spie | ste | to | la | Scho | le
bür | tung | gel | tuch | de | Stift |
schen | ko | Fo | Ta | Bril | Zahn

Han | mo | Buch | Zi | nee | stift |
dy | ret | sel | Lip | te | pen | Schlüs |
sche | Port | ga | Heft | Fla

Tasche A: *die Zeitung,*

Tasche B:

9d

Mann oder Frau? Was glauben Sie?

Mann   Tasche A

Frau   Tasche B

10

Und was ist in Ihrer Tasche? Zeigen Sie.

Jeder zeigt einen Gegenstand und nennt Nomen und Artikel.

Da ist das Buch.

Da ist die Brille.

 Seite 95 ÜB

Wie heißt das auf Deutsch?

 11a *Track 9*

Der, das oder die? Hören Sie den Dialog und machen Sie mit.

Lernende stampfen, klopfen und pfeifen mit.

 11b

Üben Sie mit den Nomen von Seite 16/17.

 Einer klopft, stampft oder pfeift, der andere notiert das Wort mit Artikel.

A: Wie heißt das?

B: Das ist Flasche.

A: Ja. / Nein, das ist …

 11c

Schreiben Sie die Nomen in die Tabelle.

der	das	die	die (Plural)
Stift,			

 11d *Clip 2* *Seite 21 KB*

Und wie heißen die Nomen im Plural? Ergänzen Sie die Tabelle in 11c.

der Stift   die Tasche   das Buch

die Stifte | die Taschen | die Bücher | die Handys | die Hefte | die Fotos |
die Schlüssel | die Lippenstifte | die Flaschen | die Brillen | die Spiegel |
die Portmonees | die Zeitungen | die Zigaretten | die Taschentücher | die Zahnbürsten

 12a *Track 10* *Seite 21 KB, Seite 99 ÜB*

Lange und kurze Vokale. Hören Sie.

A: Guten Tag. Alles da?
Die Taschen, die Stifte, die Spiegel?
B: Ja!
A: Die Schlüssel, die Bücher …
B: Und die Taschentücher!
A: Alles da! Danke schön!
B: Bitte, gern! Auf Wiedersehen!

12b

Hören Sie und sprechen Sie mit: lang _ und kurz .

12c

Spielen Sie den Dialog.

„*DANKE SCHÖN.*"
„*BITTE, GERN.*"

 Seite 96 ÜB

Wie schreibt man das?

  Track 11

Im Rhythmus: **Hören Sie das Alphabet und sprechen Sie mit.**

Das ist das Rhythmus-ABC:

A und Be und Ce und De
E und eF und Ge und Ha
Noch einmal! Fang an mit A!

A Be – Ce De – E eF Ge
Ha I – Jot Ka eL, he, he!
eM eN O und Pe Qu eR
eS Te U – Das ist nicht schwer!
U Vau We – iX Ypsilon Zet
und dazu noch das eßzet.
Ä Ö Ü dann noch zum Schluss.
Das ist das Alphabet im Rhythmus.

  Track 12

Wie bitte? **Hören Sie und lesen Sie den Dialog.**

A: Wie heißt das auf Deutsch, bitte?
B: Das ist die Tasche.
A: Wie schreibt man das?
B: Das schreibt man so: T-A-S-C-H-E.
A: Wie bitte? Noch einmal bitte.
B: T-A-S-C-H-E.
A: Danke schön!
B: Bitte schön.

„WIE BITTE? NOCH EINMAL, BITTE!"

14b

Variieren Sie den Dialog mit anderen Dingen.

  Track 13

Hören Sie die Wörter und lesen Sie sie mit. Was fällt Ihnen auf?

schreiben | der Stift | der Spiegel   er ist | du kommst

  Track 14

Markieren Sie sch, st, sp, ch. Hören Sie und lesen Sie.

Flasche | schön | du bist | tschüss | Schokolade |
Zahnbürste | Deutschland | Sport | Schlüssel | Tasche |
Österreich | Schweiz

15c

Schreiben Sie die Wörter und lesen Sie sie vor.

schreiben, der Stift, der Spiegel,

er ist, du kommst,

16

Wie heißt das Wort? Buchstabieren Sie.

Einer buchstabiert ein Wort, die anderen raten es. Wer das Wort zuerst errät, buchstabiert das nächste.

Das Wort schreibt man:

T-S-C-H-Ü-S-S

 Seite 97 ÜB

20

REDEMITTEL

Sich begrüßen und verabschieden

Guten Tag!	Auf Wiedersehen!
Hallo! / Tag!	Tschüss!

Wie geht es Ihnen?	Danke, gut.
Wie geht's?	Danke, gut.

Sich und andere vorstellen

Wie heißt du?	Ich heiße Ina.
Wie heißen Sie?	Ich heiße Ina Müller.
	Mein Vorname ist Ina. Mein Nachname ist Müller.
Wer bist du?	Ich bin Ina.
Wer ist das?	Er / Sie heißt … Das ist…
Wer sind Sie?	Ich bin … Ich komme aus … Ich mag …

[handwritten annotations:] what's your name (informal and formal) • who are you • who is this • who are you (formal)

Wendungen für den Alltag

Wie heißt das auf Deutsch?	Das ist der / das / die …
Wie schreibt man das?	Das schreibt man T-A-S-C-H-E.
Wie bitte? Noch einmal, bitte!	
Bitte! / Bitte schön!	Danke! / Danke schön!

[handwritten annotations:] what is that in german • how do you write this • please • sorry, what? one more time please

---

STRUKTUREN

Wörter verbinden

[handwritten: or]

Kaffee oder Schokolade?
Ich mag Kaffee und Schokolade.

[handwritten: and]

Erste Verben

sein	kommen	heißen
ich bin	ich komme	ich heiße
du bist	du kommst	du heißt
er / sie ist	er / sie kommt	er / sie heißt
Sie sind	Sie kommen	Sie heißen

W-Fragen und Aussagesätze Clip 1

1	2	
Wie	heißt	das auf Deutsch?
Wer	ist	das?

1	2	
Das	ist	der Lippenstift.
Das	ist	Hanno.
Er	mag	Fußball.

Nomen und der Definitartikel Clip 2

Singular	Plural
der Spiegel	**die** Spiegel
das Foto	**die** Fotos
die Tasche	**die** Taschen

der Schlüssel, das Buch,
das Heft, die Brille, die Schokolade

AUSSPRACHE

Wortakzent Track 15

das B**u**ch, der T**ee**, die **Zei**tung, der Sp**ie**gel,
das F**o**to, die Schokol**a**de

die **Zei**tung

die Schokol**a**de

Lange und kurze Vokale Track 16

lange Vokale	kurze Vokale
der T**a**g	die T**a**sche
der Sp**ie**gel	die Br**i**lle
der T**ee**	das H**e**ft
die B**ü**cher	die Schl**ü**ssel
s**e**hen	g**e**rn

Alles im Rhythmus Track 17

Hal**lo**, guten **Mor**gen!
Hal**lo**, guten **Tag**!
Wie **geht's**? Hallo, hal**lo**!
Ich bin **Max**. Ich **mag** …
   Ich mag **Deutsch**land, ich mag **Tee**.
   Ich mag **Wien** und Kaf**fee**.

Hal**lo**, guten **A**bend!
Ich heiße **Max**! Hal**lo**!
Hal**lo**! **Bit**te! – **Dan**ke!
Mir geht's **gut**! – So **so**!
   Ich mag **Ham**burg und Lu**zern**.
   Sport und **Ki**no mag ich **gern**.

Und **du**? Wer bist **du**?
Und **du**? Wie heißt **du**?
Hal**lo**, guten **Mor**gen! …

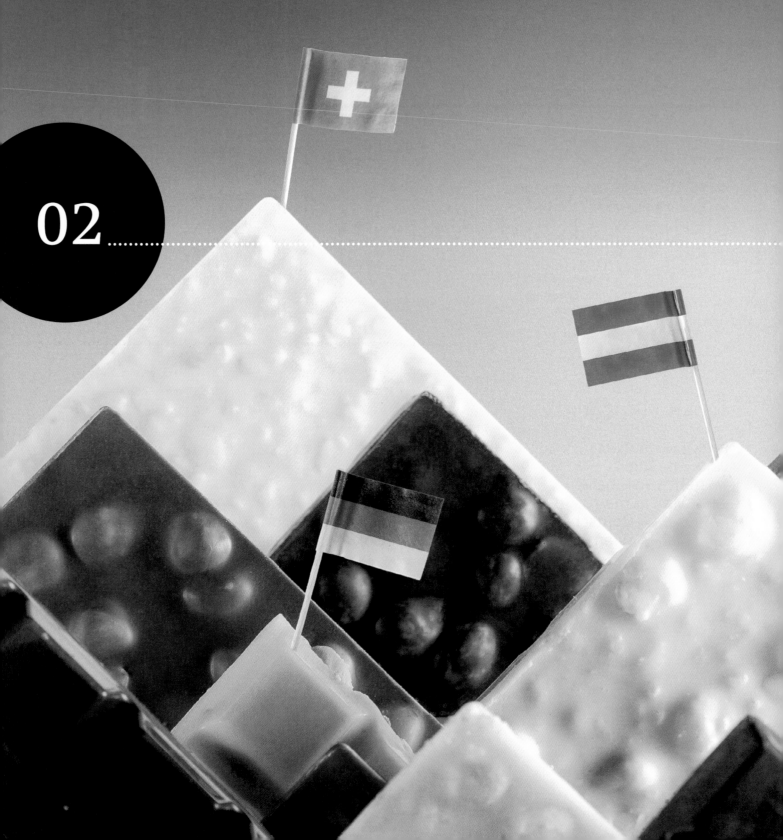

Was ist das?
Berge, Schokolade, die Alpen?
Deutschland, Österreich, die Schweiz?

02

Zu Hause und auf Reisen

A | Freizeit

Ich gehe gern spazieren.
ja/nein

Ich gehe gern tanzen.
ja/nein

Ich gehe gern shoppen.
ja/nein

Ich reise gern.
ja/nein

Ich lache gern.
ja/nein

Ich schwimme gern.
ja/nein

Ich telefoniere gern.
ja/nein

Ich gehe gern ins Kino.
ja/nein

Ich höre gern Musik.
ja/nein

Ich gehe gern ins Restaurant.
ja/nein

Das machen Deutsche gern

Computerspiele spielen **reisen**
Musik hören
shoppen gehen
fotografieren **telefonieren** lachen
Sport machen **Fußball spielen**
ins Restaurant gehen schwimmen **ins Kino gehen**
spazieren gehen tanzen gehen

 1a

Was machen Deutsche gern?
Sehen Sie die Grafik an und notieren Sie in der Reihenfolge.

r _____ ,

_____ ö _____ ,

_____ on _____ ,

_____ ma _____ ,

_____ eh _____ .

 1b *Track 18*

Hören Sie und vergleichen Sie.

 2a

Und Sie? Was machen Sie gern? Kreuzen Sie an.

 2b

Sagen Sie einen Satz.
Echo-Reihenübung: Einer sagt einen Satz, der Nächste wiederholt den Satz und sagt einen neuen.

A: Ich mache gern Sport.
B: ... macht gern Sport. Ich fotografiere gern.
C: ... fotografiert gern. Ich ...

Ich fotografiere gern.
ja/nein

Ich spiele gern
Computerspiele.
ja/nein

Ich mache gern Sport.
ja/nein

Ich spiele gern Fußball.
ja/nein

3a *Track 19* *Seite 32 KB; Seite 109 ÜB*

Im Rhythmus: Hören Sie. Achten Sie auf die Melodie: ↗ und ↘

A: Du! Was **machst** du gern? ↘
B: Du! Was machst du **gern**? ↗
A: **Gehst** du, **gehst** du, **gehst** du gern … Gehst du gern ins **Ki**no? ↗
B: **Machst** du, **machst** du, **machst** du gern … Machst du gern Mu**sik**? ↗
c: **Ich**? ↗ Ich **ge**he gern … Ich gehe gern ins **Ki**no. ↘
A: Er geht gern ins **Ki**no. ↘
D: **Ich**? ↗ Ich **ma**che gern … Ich mache gern Mu**sik**. ↘
B: Sie macht gern Mu**sik**. ↘
ABC: Und **Sie**? ↗ Was **ma**chen Sie gern? ↘ Und **Sie** ↗ …

3b

Hören Sie und brummen Sie mit.

3c

Hören Sie noch einmal. Sprechen Sie mit.

„ICH REISE GERN. UND DU? REIST DU AUCH GERN?"

4a *Clip 3* *Seite 32/33 KB*

Partner finden: Notieren Sie zuerst Fragen.

Lernende nehmen den Fragebogen in 2a zu Hilfe.

Machst du gern Sport?
Gehst du gern …
Reist …

4b

Fragen Sie im Kurs. Suchen Sie Partner.

Lernende gehen im Kursraum herum und suchen Partner mit 3 Gemein-samkeiten. Anschließend Präsentation in 4c.

A: Machst du gern Sport? **B:** Ja, ich mache gern Sport.
A: Gehst du gern ins Kino? **B:** Nein, ich gehe nicht gern ins Kino.

4c

Notieren Sie die Antworten und stellen Sie sich vor.

Ich mache gern Sport und … macht auch gern Sport.
Ich spiele gern Fußball und … spielt auch gern Fußball.
Ich gehe nicht gern ins Kino und … geht auch nicht gern ins Kino.

 Seite 102 ÜB

Was macht ihr?

 5a *Track 20*

Heute Abend. Hören Sie und lesen Sie mit.

A: Hallo, Lisa.
B: Tag, Ron, hallo, Anne! Das ist Tina.
Alle: Hallo, hi, hallo!
A: Und wie geht's?
B: Gut! Danke! Und? Was macht ihr?
A: Wir gehen ins Kino. Und ihr?
Was macht ihr heute Abend?
B: Wir gehen ins Theater.
A: Ins Theater?! Ah schön! Viel Spaß!
B: Danke! Danke!
Alle: Tschüss, ciao, ciao!

5b

Lesen Sie noch einmal. Wer macht was?

Kino:
   Lisa und Tina gehen ins Kino.
   Anne und Ron gehen ins Kino.
Theater:
   Lisa und Tina gehen ins Theater.
   Anne und Ron gehen ins Theater.

 6a *Track 21* *Seite 33 KB*

Wir, ihr und sie. Hören Sie und lesen Sie mit.

Wir gehen ins Theater, und ihr geht ins Kino.
Wir machen Musik, und ihr macht Sport.
Wir fotografieren, und ihr telefoniert.

Und Ron und Anne?
Sie machen nichts, sie bleiben zu Hause.

6b

Und was machen Sie? Notieren Sie. ⚮

*Lernende sammeln Ideen und tauschen sich in 6c mit anderen Gruppen
aus. Dann schreibt jede Gruppe einen Text.*

schwimmen | Fußball spielen | reisen | tanzen gehen | …

Wir _____, und wir _____.
Wir _____, und wir _____.

6c

Fragen Sie andere Gruppen. Schreiben Sie dann einen Text. ⚮

A: Was macht ihr? Macht ihr Musik?
B: Ja, wir machen Musik. / Nein, wir …

Wir _____, und ihr _____.
Wir _____, und ihr _____.

Und sie? Was machen sie?

Sie _____, und _____.

„VIEL SPASS HEUTE ABEND.“

SPASS = Spaß

7

Was macht ihr heute Abend? Spielen Sie einen Dialog. ⚮

*Jeweils 2 Lernende wählen eine Aktivität und spielen mit einer anderen
Gruppe einen Dialog.*

Was macht ihr?

Viel Spaß!

Tag. Hallo!

Tschüss!

Wie geht's?

Wohin reist ihr?

  Track 22

Weltreise im Rhythmus: Hören Sie.

Ich reise gern nach Griechenland.
Ich mag die Menschen und das Land.
Ich reise nach Australien
und dann noch nach Italien.
Ich reise in die USA,
nach Russland und nach Kanada.
Dann bleibe ich zu Hause
und mache erst mal Pause.
Ich reise gern …

Hören Sie noch einmal. Brummen Sie mit.

Hören Sie noch einmal. Sprechen Sie mit.

„*ICH BLEIBE ZU HAUSE.*"

Weltkarte: Wie heißen die Länder in Ihrer Sprache? Vergleichen Sie.

Welche Länder sind wichtig für Sie?
Ergänzen Sie.

evtl. im Wörterbuch suchen

auf Deutsch:	in anderen Sprachen:
Spanien	España
Ungarn	

Spielen Sie: Wohin reisen Sie?

Sprechkette: Einer nennt ein Reiseziel, der Nächste wiederholt und nennt ein neues Reiseziel und so weiter. Wer nicht mehr weiter weiß, sagt: „Ich bleibe zu Hause."

A: Ich reise gern nach Mexiko.
B: Ich reise gern nach Mexiko und nach Brasilien.
C: Ich reise gern nach Mexiko und nach Brasilien und in die Schweiz.
D: Ich reise gern nach Mexiko und nach Brasilien und in die Schweiz und nach / in die …
…
Z: Ich bleibe zu Hause.

 Seite 104 ÜB

B | Souvenirs

eine Postkarte (75 Cent)

eine Uhr (75 Franken)

ein Messer (27 Franken)

ein Tiroler Hut (39,95 Euro)

ein Herz (3,40 Euro)

ein Fußball (17,95 Euro)

eine Flasche Bier
(1,20 Euro)

10a *Track 23*

Was ist das? Hören Sie und zeigen Sie die Souvenirs.

| Was ist das? | Das ist ein / eine … |
| | Das sind … |

10b

Ergänzen Sie die Lücken. Hören Sie noch einmal.

A: Was ist das? *Ein* Herz. Lustig.

Eine Uhr und *ein* Messer. Schön.

Ein Hut aus Tirol. Na ja.

B: Cool! *Ein* Fußball vom FC Bayern München.

Und *ein* Auto. Ein Porsche.

A: Langweilig. Und was ist das? Ah, *eine* Postkarte vom
Brandenburger Tor.

B: *Eine* Flasche Bier oder *eine* Flasche Wein?

A: Nein. _____ Gummibärchen! Lecker!

B: Ja, lecker.

A: _____ Tasse aus Meißen. Hhm. Schön oder hässlich?

B: Hässlich.

A: *Eine* Blume. Lustig.

Und was ist das?

B: Das sind _____ Mozartkugeln.

A: Ah, Schokolade. Lecker!

10c

Woher kommen die Souvenirs? Raten Sie.

A: Woher kommt der Fußball?

B: Aus Deutschland.

C: Hm, aus Deutschland?

B: Ja, aus Deutschland.

D	A	CH
der Fußball	die Blume	das Messer

10d

Wie finden Sie die Souvenirs? *Reihenübung: Jeder sagt einen Satz.*

schön | hässlich | lustig | langweilig | lecker | cool

Der Hut ist lustig.

Das Auto ist cool.

Die Uhr ist …

Die Gummibärchen sind lecker!

Mozartkugeln (9,95 Euro)

eine Flasche Wein
(12,99 Euro)

eine Blume (4,50 Euro)

eine Tasse (98 Euro)

ein Auto (22,50 Euro)

Gummibärchen (1,00 Euro)

„DAS IST KEIN HERZ!"
„DOCH, DAS IST EIN HERZ!"

11a Track 24

Ein Herz? Hören Sie den Dialog.

11b Clip 4   Seite 33 KB

Hören Sie noch einmal und lesen Sie.

A: Und was ist das?
B: Hm, ein Herz!
A: Ein Herz? Das ist kein Herz!
B: Doch! Das ist ein Herz.
A: Nein, das ist kein Herz,
das sind --- Gummibärchen.
B: Nein, das sind keine Gummibärchen.
A: Okay. Das ist ein Herz und das sind
Gummibärchen.

11c

Und was ist das? Raten Sie und variieren Sie den Dialog.

ein Auto

Blumen

eine Tasse

ein Fußball

ein Haus

eine Postkarte

A: Was ist das?

B: Hm, ein / eine / ---   !

A: Ein / Eine / ---   ? Das ist / sind kein / keine / ---   !

B: Doch! Das ist / sind   und das ist / sind   .

A: Echt lustig. / Cool. / Schön.

11d

Spiel: Zeichnen und raten Sie.

Einer zeichnet ein Souvenir, die anderen raten. Wer es errät, zeichnet den nächsten Begriff.

Das ist ein Hut!

Nein, kein Hut! Das ist eine Tasse.

 *Seite 105 ÜB*

Was kostet das?

 12a *Track 25* *Seite 32 KB*

Zahlen im Rhythmus: Hören Sie.

Eins und zwei und drei und vier,
fünf und sechs. So zählen wir!
Sieben, acht und neun und zehn,
elf und zwölf. Ja, das ist schön!
Dreizehn, vierzehn, fünfzehn … Ja!
Sechzehn, siebzehn … Alles da!
Achtzehn, neunzehn, zwanzig. Wow!

Einundzwanzig? Ja, genau!
Zweiundzwanzig? Richtig! Top!
Dreiundzwanzig, … Danke, stopp!
Dreißig, vierzig, fünfzig. Toll!
Sechzig, siebzig. Wundervoll!
Achtzig, neunzig. Cool ist das!
Und … einhundert. Das macht Spaß!

12b

Hören Sie noch einmal. Sprechen Sie mit.

13a

Wie heißen die Zahlen? Schreiben Sie.

1 Eins
11 Elf
100 Einhundert
5 Fünf
50 fünfzig
75 fünfun siebzig
33 dreiunddreißig
66 sechundsechzig
99 neunundneunzig

 13b *Track 26*

Hören Sie. Welche Zahl fehlt?
Schreiben Sie.

vier , siebzehn
acht , dreiundzwanzig
Dreizehn , fünfzig

13c

Hören Sie noch einmal. Sprechen Sie.

 14a

Was kostet das? Sehen Sie die Souvenirs auf Seite 28/29 an.
Notieren Sie zuerst Ihre Wünsche, in 14b die Preise.

Was?	Preis

 14b

Was kosten die Dinge? Fragen Sie Ihren Partner. 👥
Einer fragt, der andere schaut auf S. 28/29 nach.

A: Was kostet die Uhr?
B: Die Uhr kostet 75 Franken.
A: Oh, das ist teuer. / Das ist billig.

A: Was kosten die Mozartkugeln?
B: Die Mozartkugeln kosten 9 Euro 95.
A: Oh, das ist teuer. / Das ist billig.

„95 EURO?
DAS IST TEUER!"

 Seite 106 ÜB

| 0 null |
| 1 eins |
| 2 zwei |
| 3 drei |
| 4 vier |
| 5 fünf |
| 6 sechs |
| 7 sieben |
| 8 acht |
| 9 neun |
| 10 zehn |
| 11 elf |
| 12 zwölf |
| 13 dreizehn |
| 14 vierzehn |
| 15 fünfzehn |
| 16 sechzehn |
| 17 siebzehn |
| 18 achtzehn |
| 19 neunzehn |
| 20 zwanzig |
| 21 einundzwanzig |
| 22 zweiundzwanzig |
| 23 dreiundzwanzig |
| 24 vierundzwanzig |
| 25 fünfundzwanzig |
| 26 sechsundzwanzig |
| 27 siebenundzwanzig |
| 28 achtundzwanzig |
| 29 neunundzwanzig |
| 30 dreißig |
| 40 vierzig |
| 50 fünfzig |
| 60 sechzig |
| 70 siebzig |
| 80 achtzig |
| 90 neunzig |
| 100 einhundert |

Entschuldigung, sprechen Sie Deutsch?

  Track 27

Souvenirladen in Berlin. Hören Sie. Welche Antwort stimmt?
Mehrere Antworten sind möglich.

Sprache?	Souvenir?	Preis?
☐ Ja, ich spreche Deutsch.	☐ Das ist das Brandenburger Tor.	☐ Das kostet 24 Franken.
☐ Nein, ich spreche nicht Deutsch.	☐ Das ist eine Bürste.	☐ Das kostet 19 Euro.

  Track 28

Hören Sie den ganzen Dialog und ergänzen Sie.

Name	Sprache	Land	Stadt
Anna Seidl		Österreich	
Louisa Retri			Bern

„ICH SPRECHE ENGLISCH, SPANISCH UND DEUTSCH."

  Track 29

Weltsprachen: Hören Sie.

A: Sprechen Sie Spanisch oder Portugiesisch? Englisch? Französisch oder Italienisch? Russisch, Arabisch oder Chinesisch? Japanisch oder Koreanisch? Hindi? Bengalisch?
B: Ich spreche Deutsch!

Welche Sprachen sprechen Sie?
evtl. im Wörterbuch suchen

Ich spreche ...

16c

Lesen und spielen Sie den Dialog mit Ihren Angaben.
auf Souvenirs auf Seite 28/29 verweisen

A: Entschuldigung, sprechen Sie ＿＿＿＿＿＿＿?
B: Ja, ich spreche ＿＿＿＿＿.
A: Was ist das?
B: Das ist ＿＿＿＿＿.
A: Was kostet das?
B: Das kostet ＿＿＿＿＿ Euro.
A: Aha, danke.
B: Woher kommen Sie?
A: Ich komme aus ＿＿＿＿＿.
Ich wohne in ＿＿＿＿＿.
Und Sie? Woher kommen Sie?
B: Ich komme aus ＿＿＿＿＿
und wohne in ＿＿＿＿＿.
＿＿＿＿＿ ist mein Name.
A: Ich heiße ＿＿＿＿＿.

 Seite 107 ÜB

REDEMITTEL

Über sich sprechen

Was machst du gern?	Ich telefoniere gern.
Gehst du gern ins Restaurant?	Nein, ich gehe nicht gern ins Restaurant.
Was macht ihr?	Wir bleiben zu Hause.
Wohin reist ihr?	Wir reisen nach Brasilien.
Sprechen Sie Deutsch?	Ja, ich spreche Deutsch.
Woher kommen Sie?	Ich komme aus der Schweiz und wohne in Bern.

Über Dinge sprechen

Was ist das?	Das ist eine Blume.
Woher kommt das?	Das kommt aus Österreich.
Was kostet das?	Das kostet 4 Euro / 5 Franken.
Das ist ein Auto.	Das ist kein Auto!
Doch, das ist ein Auto!	Nein, das ist kein Auto.

Wendungen für den Alltag

Entschuldigung.
Viel Spaß!
Das ist lustig / teuer / schön / …

Zahlen

eins – zwei – drei – vier – fünf – sechs – sieben – acht – neun - zehn – elf – zwölf – dreizehn – vierzehn –
fünfzehn – sechzehn – siebzehn – achtzehn – neunzehn – zwanzig – einundzwanzig – zweiundzwanzig
– dreißig – vierzig – fünfzig – sechzig – siebzig – achtzig – neunzig – (ein)hundert – null

ein ^{und} zwanzig
21

STRUKTUREN

W-Fragen und Aussagesätze

1	2	
Was	machst	du?
Ich	gehe	ins Kino.
Wohin	reist	du gern?
Ich	reise	gern nach Österreich.

Ja/Nein-Fragen Clip 3

1	2	
Machst	du	Sport?
Gehst	du	ins Kino?
Reist	du	gern?

AUSSPRACHE

Satzmelodie Track 30

Melodie steigt ↗	Melodie fällt ↘
Was machst du gern? ↗	Was machst du gern? ↘
Gehst du gern ins Kino? ↗	Ich gehe gern ins Kino. ↘

W-Frage: ↗ oder ↘
Ja / Nein-Frage: ↗

Wortakzent Zahlen Track 31

eins – **zwei** – **drei** …
sieben …
dreizehn – **vier**zehn …
zwanzig – **ein**undzwanzig – **zwei**undzwanzig …
(ein)**hun**dert

STRUKTUREN

Personalpronomen   Regelmäßige Verben

	gehen	machen
ich	ich gehe	ich mache
du	du gehst	du machst
er / sie	er / sie geht	er / sie macht
wir	wir gehen	wir machen
ihr	ihr geht	ihr macht
sie	sie gehen	sie machen
Sie	Sie gehen	Sie machen

auch so: kommen, reisen

Verb und gern / nicht gern

Ich mache gern Sport.   Ich mache nicht gern Sport.
Ich gehe gern ins Kino.   Ich gehe nicht gern ins Kino.
Ich reise gern.   Ich reise nicht gern.

Ländernamen ohne Artikel

Wir reisen nach Spanien / nach Österreich /
nach Australien / nach …
Wir kommen aus Spanien / aus Österreich /
aus Australien / aus …

Ländernamen mit Artikel (Singular oder Plural)

Wir reisen … in die Schweiz / in die Türkei / in die Niederlande.
Wir kommen aus der Schweiz / aus der Türkei.
Wir kommen aus den Niederlanden / aus den USA.

Definitartikel, Indefinitartikel, Negativartikel

 Clip 4

Das ist …   Das sind …

der	das	die	die
ein	ein	eine	---
kein	kein	keine	keine
Hut	Buch	Karte	Hüte, Bücher, Karten

ein – kein
eine – keine
--- – keine

AUSSPRACHE

Alles im Rhythmus Track 32

Was **macht** sie gern, was **macht** er gern?
Was **macht** ihr und was **machst** du gern?
Na?
Ich **es**se gern. Ich **rei**se gern.
Ich reise und ich **shop**pe gern.
Ich geh gern ins The**a**ter …
Ach **ja**?
Ich reise gern nach **Ö**sterreich. Hier ist ein Souve**nir**.
Aha?
Keine **Uhr** und keine **Blu**me. Keine Flasche **Bier**!
Nein!
Keine **Ta**sche, keine **Tas**se, keine Schoko**la**de.
Schade!
Hmm, **Mo**zartkugeln, **Tee** und **Wein**!
Oh, **fein**! Hmmm …

03

Was denken Sie? Welcher Titel passt?
Guten Morgen! Typisch deutsch!?
Das mag ich! Mein Name ist Brot. Toastbrot.

Essen und Zeit

A 36	**B** 40
Ein Brot bitte!	**Schnell bitte!**
→ Was darf es sein? Eine Brezel bitte. → ich esse – du isst → oft / selten / nie → viel / wenig → das Frühstück: der Schinken, die Milch, das Ei, … → der Schinken – er, die Milch – sie, das Ei – es → gesund, frisch, lecker → das Butterbrot, der Brotkorb	→ Wir haben Hunger. Wir haben Durst. → Fastfood auf Deutsch: Hamburger, Cola, … → Wann? morgens, mittags, abends → Wie oft? jeden Tag, einmal, zweimal, … pro Monat → Ich trinke einen Tee. → Ich esse einen Salat und keine Pizza. → Ich nehme den Käsekuchen, und du?
• *Kommunikation: Einkaufsdialog; über Essgewohnheiten sprechen* • *Wortschatz: Lebensmittel, Adjektive zur Beschreibung von Lebensmitteln; Angaben zur Menge und Häufigkeit* • *Grammatik: Verb mit Vokalwechsel (essen); das Pronomen man; Personalpronomen für Nomen; Komposita* • *Phonetik: Wortakzent (Komposita)* • *Landeskunde: Brot – ein typisches Lebensmittel aus D-A-CH*	• *Kommunikation: eine Statistik lesen; Bestelldialog am Imbissstand; landestypische Desserts vorstellen* • *Wortschatz: Speisen und Getränke; Tageszeiten; Angaben zur Häufigkeit* • *Grammatik: Akkusativ (Definit-, Indefinit- und Negativartikel); die Verben mögen, haben, nehmen* • *Phonetik: E-Laute* • *Landeskunde: Fastfood in Deutschland, Desserts aus D-A-CH*

44

Redemittel, Strukturen, Aussprache

A | Ein Brot bitte!

das Weißbrot 2,40 €

das Bauernbrot 2,50 €

das Schwarzbrot 2,40 €

das Vollkornbrot 3,80 €

das Vollkornbrötchen 0,70 €

das Brötchen 0,40 €

(handwritten notes)
what do you want?
How can I help you?

„WAS DARF
ES SEIN?"
„EINE BREZEL
BITTE."

(handwritten notes)
I don't know
Take the farmer's bread. It is quite fresh.

1a *Track 33*

Beim Bäcker. Hören Sie und suchen Sie die Brotsorten.

1b *Track 34*

Lesen und hören Sie den Dialog.

Bäcker: Guten Morgen!
Was darf es sein?
Kundin: Ein Brot bitte.
Bäcker: Was für ein Brot?
Kundin: Ich weiß nicht.
Bäcker: Nehmen Sie das Bauernbrot.
Das ist ganz frisch.
Kundin: Gut. Was kostet das?
Bäcker: 2 Euro 50.
Kundin: Bitte sehr. Auf Wiedersehen!
Bäcker: Danke. Auf Wiedersehen!

1c

Lesen Sie den Dialog.

1d

Sprechen Sie und variieren Sie den Dialog.

Bäcker: Guten
Was darf es sein?
Kundin: bitte.
Bäcker: Was für ein   ?
Kundin: Ich weiß nicht.
Bäcker: Nehmen Sie   .
Das ist / Die sind frisch.
Kundin: Gut. Was kostet / kosten   ?
Bäcker: Euro / Cent.
Kundin: Bitte sehr.   !
Bäcker: . Auf Wiedersehen!

das Toastbrot 1,90 €

die Brezel 0,60 €

2a

Brot in Zahlen: Lesen und raten Sie.

In Deutschland essen ⁰¹   %
(Prozent) jeden Tag Brot. Das sind pro
Jahr zirka ⁰²   kg (Kilo-
gramm).
Es gibt ⁰³   verschiedene
Brotsorten.
Aber nicht nur die Deutschen essen viel
Brot. In der Türkei isst man im Jahr
⁰⁴   kg Brot pro Person,
im Iran sogar ⁰⁵   kg.

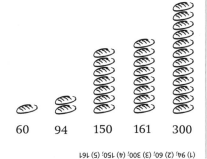

| 60 | 94 | 150 | 161 | 300 |

(1) 94; (2) 60; (3) 300; (4) 150; (5) 161

2b

Raten und ordnen Sie.

, dann Vergleich im Plenum

In welchen Ländern isst man
sehr viel Brot (++), viel (+),
wenig (-), sehr wenig Brot (- -)?

In Russland isst man   .
In Japan isst man   .
In Brasilien isst man   .
In Italien isst man   .
In Korea isst man   .
In den USA isst man   .
In   isst man   Brot.

3a   *Track 35*

Im Rhythmus: Hören und lesen Sie.

Brot, Brot, Brezeln, Brot.
Brot, Brot, Brötchen, Brot.
Ich esse, du isst, er isst Brot.
Ich esse, du isst, sie isst Brot.
Wir essen, ihr esst, sie essen Brot.

Und ihr? Was esst ihr?
Was darf es sein?
Esst ihr gern Weißbrot? Ja oder nein?
Ich esse, du isst, er isst Brot …

3b

Hören Sie und brummen Sie mit.

3c

Hören Sie noch einmal.
Sprechen Sie mit.

4a   *Seite 44 KB*

Und Sie: Essen Sie gern Brot?
Erzählen Sie und fragen Sie.

Ich esse gern / nicht gern Brot.
Und du? Isst du gern Brot?

Ich esse viel / wenig Brot.
Isst du viel Brot?

Ich esse immer / oft / selten / nie Brot.
Isst du oft Brot?

4b

Notieren Sie die Antworten und stellen
Sie eine Person vor.

> Name:
> gern / nicht gern
> viel / wenig
> immer / oft / selten / nie

… isst gern …
Er / Sie isst immer / oft / selten / nie …

 Seite 112 ÜB

Das Frühstück

5a *Track 36*

Das Frühstück stellt sich vor: Guten Morgen! Mein Name ist …
Lesen, hören und nummerieren Sie.

6 das Ei (I)
Ich bin weich und warm.

7 die Butter
Ich bin fett.

5 der Schinken
Ich bin mager.

1 der Käse
Ich bin alt und gut.

3 der Honig
Ich bin süß.

2 die Brötchen
Wir sind frisch.

4 die Marmelade
Ich bin auch süß.

8 die Milch
Ich bin gesund.

5b

Lesen Sie die Texte in der Reihenfolge vor.

Ich bin …

5c *Seite 44 KB*

Was ist das? Raten Sie. Variieren Sie.
Lernende formulieren abwechselnd Rätsel.

A: Er ist mager.
B: Das ist der Schinken.
A: Sie ist gesund.
B: Das ist die Milch.
A: Es ist warm.
B: Das ist das Ei.
A: Sie sind …
B: Das sind die Brötchen.
A: Ja. / Nein.

süß oder salzig?
kalt oder warm?
weich oder hart?
fett oder mager?
frisch oder alt?
gesund oder ungesund?

6a

Ein Kursfrühstück: Sammeln Sie Vorschläge.
Fehlt etwas? Ergänzen Sie Ihre Lebensmittel.
Lernende notieren Lebensmittel und suchen fehlende Wörter im Wörterbuch.

kakao [kakaɔ] *nt inv* Kakao *m;* kakaowy [kakaɔvi]
adj Kakao-

ish [fɪʃ] I. *n* <*pl* -es *or* -> Fisch *m* ▸ t

banane [banan] *f* ❶ (*fruit*) Banane *f*
❷ (*pochette*) Gürteltasche *f*

6b

Zeichnen und beschreiben Sie Ihr Frühstück.
Die Gruppen präsentieren ihr Frühstück.

Das ist der Kaffee. Er ist warm.

Das ist die Banane. Sie ist gesund.

Das Butterbrot

7a

Wann isst man ein Butterbrot? Lesen Sie und kreuzen Sie an.

▢ morgens ▢ mittags ▢ abends ▢ zwischendurch

Ein Butterbrot ist eine Scheibe Brot mit Butter.
Man isst es oft mit Schinken oder Käse oder Honig oder …
Ein Butterbrot isst man als Frühstücksbrot, als Pausenbrot
bei der Arbeit, als Abendbrot oder einfach zwischendurch.

7b ▢ Clip 5   ▢ *Seite 44 KB*

Finden Sie die Wörter im Text.

die Butter + das Brot = das Butterbrot
der Abend + das Brot = das _____
das Frühstück + das Brot = das _____ s
die Pause + das Brot = das _____ n

7c

Machen Sie neue Wörter.

das Brot + der Korb   = _____ Brotkorb
das Brot + das Messer   = _____ Brot_____
das Brot + die Zeit   = _____
das Brot + die Scheiben = _____

8a ▢ *Track 37*

Schmeckt das? Hören Sie.

8b ▢ *Seite 44 KB; Seite 119 ÜB*

Spielen Sie und sprechen Sie wie im Muster. ☺☺☺ *Würfelspiel*

A: Vier … **HO**nig und **Brot**, **HO**nig und **Brot** … **HO**nigbrot!
Mhm! Das schmeckt gut!
B: Eins … Sa**lat** und **Brot**. Sa**lat**brot. Sa**lat**brot? Igitt!
C: Sechs … **Gum**mibärchen … und **Brot**. **Gum**mibärchen-
brot. Mhm! Lecker!

„*MHM, LECKER!
DAS SCHMECKT.*"
„*IGITT! DAS SCHMECKT
NICHT.*"

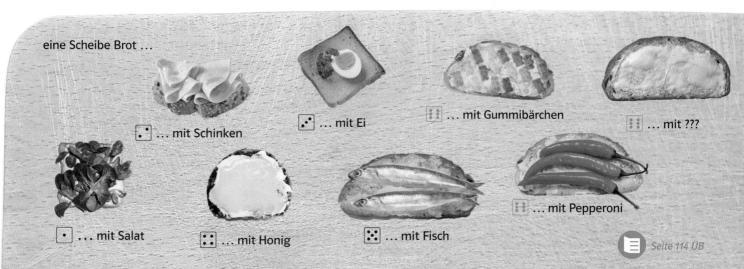

eine Scheibe Brot …

⚀ … mit Schinken
⚁ … mit Ei
⚂ … mit Gummibärchen
⚅ … mit ???
⚀ … mit Salat
⚃ … mit Honig
⚄ … mit Fisch
⚅ … mit Pepperoni

▢ *Seite 114 ÜB*

B | Schnell bitte!

9a *Track 38*

Fastfood auf Deutsch.

Welche Speisen kennen Sie? Hören Sie und ordnen Sie zu.

die Speisen:

1 der Hamburger | 8 die Pommes frites mit Ketschup | 7 der Döner Kebap |
4 die Pizza | 5 das Hähnchen | 2 das Sushi | 3 der Salat |
9 die Currywurst | 6 die Bratwurst mit Senf |

die Getränke:

11 das Mineralwasser |
10 der Apfelsaft | 12 die Cola |
14 die Limonade | 13 das Bier

9b

Welche Speisen mögen Sie? *Reihenübung*

A: Ich mag Hamburger. Und was magst du?
B: Ich mag Bratwurst mit Senf.
C: Ich mag …

9c

Wie heißen die Speisen in anderen Sprachen?

auf Deutsch:	in anderen Sprachen:
der Hamburger	hamburger (englisch)
	…

9d

Was ist das? Raten Sie.

Das ist ein Hamburger.

Nein, das ist kein Hamburger.

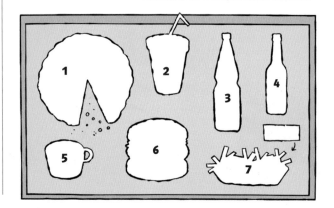

10a

Was mögen die Deutschen?

Lesen Sie die Statistik. Welche Sätze sind richtig?

Das beliebteste Fast Food der Deutschen
Was essen sie am liebsten?

	Frauen	Männer
Döner	19 %	24 %
Burger	16 %	22 %
Pizza	21 %	22 %
Currywurst	8 %	13 %
Pommes frites	10 %	4 %
Bratwurst	3 %	5 %

Frauen:

 24 Prozent mögen Döner.

8 Prozent essen gern Currywurst.

Sie essen sehr gern Bratwurst.

Männer:

22 Prozent essen gern Pizza.

5 Prozent mögen Pommes frites.

Sie essen sehr gern Döner.

„24 PROZENT MÖGEN DÖNER."

10b ▤ *Seite 44 KB*

Was mögen Sie? Machen Sie eine Kursstatistik.

Lernende bilden eine Männer- und eine Frauengruppe und diskutieren die Fragen. Sie notieren die Ergebnisse. Anschließend Vergleich im Plenum.

Magst du / Mögt ihr Fastfood?
Ich mag / Wir mögen Fastfood / kein Fastfood.
Es ist salzig / süß / billig / teuer / fett / ungesund / gesund / …

Wann isst du / esst ihr Fastfood?
morgens / mittags / abends / zwischendurch

Wie oft isst du / esst ihr Fastfood?
jeden Tag / oft / selten / nie
einmal / zweimal / dreimal / … pro Monat

… Frauen mögen …
… Männer mögen …
… mag …

▤ *Seite 115 ÜB*

Am Imbissstand

  Track 39

11a

Was bestellen die Personen? Hören Sie den Dialog zweimal.

- ☒ einen Hamburger
- ☐ eine Pizza
- ☒ eine Currywurst
- ☐ Sushi
- ☒ Pommes frites
- ☒ eine Bratwurst mit Senf
- ☒ ein Bier
- ☒ eine Cola
- ☐ ein Mineralwasser

 11b

Ergänzen Sie.

Sie bestellen: *Pommes frites mit Ketschup,*
eine ⬛⬛⬛⬛⬛⬛⬛ mit Senf, eine ⬛⬛⬛⬛⬛⬛⬛,
einen ⬛⬛⬛⬛⬛⬛⬛ und ein ⬛⬛⬛⬛⬛⬛⬛.

„*WIR HABEN HUNGER.*
WIR HABEN DURST."

  Track 40

11c

Hören Sie den Dialog weiter. Was ist richtig?

- ☒ Ich habe **keinen** Apfelsaft.
- ☑ Ich habe **keine** Cola.
- ☒ Ich habe **keinen** Kaffee.
- ☑ Ich habe **kein** Bier.

 11d

Hören Sie noch einmal. Wie viel bezahlen die Personen?

Das macht: ☒ 20,10 €   ☒ 21,10 €   ☐ 22,12 €

 12a *Seite 45 KB*

Was bestellen Sie? Was bestellen Sie nicht? Notieren Sie und vergleichen Sie. 👥

Ich esse … / Ich trinke … / Ich habe …		Was isst / trinkst / hast du?	
einen Hamburger / **keinen** Hamburger	ein Bier / kein Bier	eine Pizza / keine Pizza	Pommes frites / keine Pommes frites
einen Kaffee / **keinen** Kaffee		eine Cola / keine Cola	

  12b

Bestellen Sie. Sprechen und variieren Sie. 👥

Lernende machen Notizen und spielen den Dialog mit verteilten Rollen.

Was darf es sein?   Pommes, bitte.   Mit Ketschup oder Majonäse?   Und für Sie?
Okay, mach ich fertig.   Und zu trinken?   Nein, keine Cola.   Einen Apfelsaft, bitte.
Was macht das?   Das macht … Euro.

 Seite 116 ÜB

Lecker, ein Dessert!

  13a Track 41

Wie heißen die Desserts? Hören Sie und nummerieren Sie.

Kuchen, Torten oder Eis – Sie suchen ein Dessert aus Österreich? Dann nehmen Sie den Apfelstrudel oder die Buchteln mit Vanillesoße. Auch die Sachertorte kommt aus Österreich und schmeckt sehr lecker. In Deutschland isst man

den Käsekuchen sehr gern. Oder essen Sie ein Eis! Nehmen Sie die Birne Helene, das ist Birne mit Vanilleeis und Schokoladensoße. Sie lieben Schokolade? Dann finden Sie das Schokoladen-Fondue aus der Schweiz sicher sehr lecker!

| die Sachertorte | der Apfelstrudel | die Buchteln mit Vanillesoße | der Käsekuchen | die Birne Helene | das Schokoladen-Fondue |

 13b

Woher kommen die Desserts? Lesen Sie den Text.

… und … kommen aus Österreich.
… und … kommen aus Deutschland.
… kommt aus der Schweiz.

„ *ICH FINDE DEN KÄSEKUCHEN LECKER.* "

 13c Clip 6   Seite 45 KB

Was finden Sie lecker, was nicht? Notieren Sie.

Lecker finde ich: den Apfelstrudel, die Sachertorte, das …
Nicht so lecker finde ich: den Käsekuchen, …

13d

Was nehmen Sie? Sprechen Sie.   *Reihenübung*

A: Ich nehme … Und was nimmst du?
B: Ich nehme …
C: Er / Sie nimmt …

  14a Track 42

Sehr lecker. Hören Sie.

  14b Seite 45 KB, Seite 119 ÜB

Hören Sie noch einmal. Sprechen Sie mit – das e bitte so:

Sehr, sehr lecker! Mhm, mhm, … Lecker!
Ich nehme den Käsekuchen und Tee. Sehr gern, sehr gern!
Du nimmst das Vanilleeis und Kaffee? Sehr gern, sehr gern!
Er nimmt die Buchteln und … Birne Helene. Sehr gern, sehr gern!
Und sie nimmt den Apfelstrudel mit Eis. Sehr gern, sehr gern!
Sehr, sehr lecker! Mhm, mhm, lecker! Sehr, sehr lecker!

15

Desserts aus Ihrem Land.
Schreiben Sie einen kurzen Text – die Notizen helfen.

Sie suchen ein Dessert aus ▯?
Dann nehmen Sie ▯ oder
▯. Auch ▯ kommt /
kommen aus ▯ und ist / sind sehr
lecker. Das Dessert isst man in ▯
sehr gern!

 Seite 117 ÜB

REDEMITTEL

Etwas bestellen

Was darf es sein?	Einen Hamburger / Eine Bratwurst / … bitte.
Und Sie?	Ich nehme …
Und zu trinken?	Einen Tee / Ein Wasser / Eine … bitte.
Was kostet das?	Das kostet … Euro.
Was macht das?	Das macht … Euro.

Mengen- und Zeitangaben

viel / wenig   oft / selten / nie
einmal / zweimal / … pro Monat
jeden Tag

Essen und Trinken

Ich habe Hunger.
Ich esse.
Ich habe Durst.
Ich trinke.

Lecker.
Das schmeckt.
Igitt.
Das schmeckt nicht.

STRUKTUREN

Verben mit Vokalwechsel

essen	nehmen
ich esse	ich nehme
du isst	du nimmst
er / sie / es isst	er / sie / es nimmt
wir essen	wir nehmen
ihr esst	ihr nehmt
sie essen	sie nehmen
Sie essen	Sie nehmen

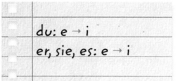

du: e → i
er, sie, es: e → i

Das Verb haben   Das Verb mögen

haben	mögen
ich habe	ich mag
du hast	du magst
er / sie / es hat	er / sie / es mag
wir haben	wir mögen
ihr habt	ihr mögt
sie haben	sie mögen
Sie haben	Sie mögen

man

In Deutschland isst man viel Brot.

man (Sing.) = viele Menschen

Personalpronomen

der Käse – er   das Ei – es   die Milch – sie   die Brötchen – sie

Komposita   Clip 5

der Schinken + das Brot = das Schinkenbrot
das Ei und das Brot = das Eibrot
die Marmelade + das Brot = das Marmeladenbrot
das Brot + der Korb = der Brotkorb

AUSSPRACHE

Wortakzent Komposita   Track 43

Honig + **Brot** = **Ho**nigbrot
Sal**at** + **Brot** = Sal**at**brot
Fisch + **Brö**tchen = **Fi**schbrötchen

Wortstellung im Hauptsatz

Verb:
2. Position

1	2	
Morgens	esse	ich ein Käsebrötchen.
Mittags	isst	Alex einen Burger.
Abends	trinken	wir gern ein Bier.

1	2	
Ich	esse	morgens ein Käsebrötchen.
Alex	isst	mittags einen Burger.
Wir	trinken	abends gern ein Bier.

Der Akkusativ *Clip 6*

Singular

		der Apfel /		das Ei /	die Wurst /
Nominativ	Da ist	der Apfel / ein Apfel / kein Apfel		das Ei / ein Ei / kein Ei	die Wurst / eine Wurst / keine Wurst
Akkusativ	Ich esse	den Apfel / einen Apfel / keinen Apfel		das Ei / ein Ei / kein Ei	die Wurst / eine Wurst / keine Wurst

Plural

Nominativ	Da sind	die Brötchen / --- Brötchen / keine Brötchen
Akkusativ	Ich esse	die Brötchen / --- Brötchen / keine Brötchen

Nominativ	Akkusativ
der	den
ein	einen
kein	keinen

Verben mit Akkusativ

essen + den / einen Apfel
das / ein Ei
die / eine Wurst

trinken + den / einen Kaffee
das / ein Wasser
die / eine Cola

auch: nehmen, haben, mögen

E-Laute *Track 44*

langes E [eː]	**kurzes E [ɛ]**
e die Br**e**zel, **er**	e **e**ssen, l**e**cker
ee der T**ee**, der Kaff**ee**	ä der B**ä**cker, die **Ä**pfel
eh n**eh**men, s**eh**r	

Alles im Rhythmus 🔊 *Track 45*

Morgens ein **Ei** und **Kaf**fee und **Brot**.
Vormittags **Tee** und ein **Pau**senbrot.
Mittags **Brat**wurst mit **Senf** und **Brot**.
Abends gibt's **so**wieso **im**mer **Brot**.

Butterbrot, **Ho**nigbrot, **Schin**kenbrot.
Wir essen **al**le sehr gerne **Brot**.
Ich esse, **du** isst, **er** isst Brot.
Ich nehme, **du** nimmst, **sie** nimmt Brot.
Wir essen, **ihr** esst, **sie** essen Brot.

Das **Bau**ernbrot find' ich so lecker und **frisch**.
Dazu Majo**nä**se mit **Ket**schup und **Fisch**.
Für mich eine **Bre**zel mit Butter und **Tee**.
Und ich nehme **Buch**teln mit Eis und Kaf**fee**.

Und **ihr**? Esst ihr **Brot**? Oder was darf es **sein**?
Esst ihr gern **Bröt**chen? Ja oder **nein**?
Ba**na**nenbrot? **Kä**sebrot? **Eis**? Schoko**la**de?
Ach **so**, ihr nehmt **gar** nichts. – **Das** ist ja schade!

Was denken Sie:
Mann oder Frau? Arbeiten oder schlafen?
Tag oder Nacht? Lustig oder langweilig?

04

Wochentage

A | Alles Routine

essen

im Internet surfen

Auto fahren

sprechen

lesen

schlafen

Sport machen

fernsehen

arbeiten

küssen

80 Jahre Deutschland

4 Jahre und 3 Monate **24 Jahre und 5 Monate**
12 Jahre und 3 Monate **7 Jahre** 5 Jahre **2 Wochen**
1 Jahr und 3 Monate 1 Jahr und 7 Monate
2 Jahre und 10 Monate **2 Jahre**

1a

Was machen die Deutschen in 80 Jahren?

Raten Sie und ergänzen Sie die Sätze mit den Zeitangaben. 🧑‍🤝‍🧑

1. Die Deutschen schlafen 24 Jahre und 5 Monate .
2. Sie sehen _____ fern.
3. Sie arbeiten _____ .
4. Sie machen _____ Sport.
5. Sie lesen _____ Bücher.
6. Sie fahren _____ Auto.
7. Sie surfen _____ im Internet.
8. Sie sprechen _____ mit Menschen.
9. Sie essen _____ .
10. Sie küssen _____ .

1b *Track 46*

Hören Sie und korrigieren Sie Ihre Antworten.

> 1 Jahr = 12 Monate =
> 52 Wochen = 365 Tage

1c

Finden Sie das viel oder wenig? Sprechen Sie.

sehr viel | viel | wenig | sehr wenig | normal

24 Jahre und 5 Monate schlafen.
Das ist / Das finde ich …

> Das finde ich normal.

> Das ist viel.

2a *Track 47*

Die Woche. Hören Sie.

Montag	Dienstag	Mittwoch	Donnerstag	Freitag
Er isst. Si…	Er isst. Si…	Er isst. Sie	Er isst. Sie i…	Er isst. Sie isst.
Er arbeit…	Er arbeit…	Er arbeitet	Er arbeitet.	Er arbeitet. Sie arbeitet.
Er schläf…	Er schläf…	Er schläft.	Er schläft. S…	Er schläft. Sie schläft.

Sonntag

Er schläft. Sie macht Sport.
Er macht Musik. Sie hört Musik.
Er küsst. Sie küsst.

Samstag

Er liest. Sie surft im Internet.
Er spricht. Sie fährt Auto.
Er sieht fern. Sie schläft.

2b

Hören Sie noch einmal und lesen Sie laut mit.

2c

**Bilden Sie eine Montaggruppe, eine Dienstaggruppe, …
Sprechen Sie den Text.**

2d

**Fassen Sie die Woche zusammen: Was machen die Personen
am Montag, am Dienstag, …? Ergänzen Sie.**

Am Montag, am Diens⬚⬚, am Mitt⬚⬚⬚,
am Donners⬚⬚, am ⬚⬚tag essen sie, arbeiten sie,
schlafen sie.

Das Wochenende ist anders. Am ⬚⬚⬚ liest er.
Er ⬚⬚⬚ und er sieht fern.
Sie surft am ⬚⬚⬚ im Internet.
Sie ⬚⬚⬚ und sie ⬚⬚⬚.
Am ⬚⬚⬚ schläft er und
er ⬚⬚⬚.
Sie ⬚⬚⬚ und ⬚⬚⬚.
Er und sie küssen.

„*DAS WOCHENENDE
IST ANDERS.*"

3a

Wochenstatistik: Wie lange machen Sie was? Notieren Sie.

Lernende überlegen und ergänzen zuerst für sich.

Ich lese zirka ⬚⬚⬚ Minuten / Stunden.
Ich sehe zirka ⬚⬚⬚ Minuten / Stunden fern.
Ich spreche zirka ⬚⬚⬚ Minuten / Stunden Deutsch.
Ich fahre zirka ⬚⬚⬚ Minuten / Stunden Auto.
Ich schlafe zirka ⬚⬚⬚ Minuten / Stunden.

> 1 Stunde = 60 Minuten

3b *Seite 57 KB*

Fragen und antworten Sie. Notieren Sie die Antworten.

Wie viele Stunden liest du?
Wie viele Stunden siehst du fern?
Wie viele Stunden sprichst du Deutsch?
Wie viele Stunden fährst du Auto?
Wie viele Stunden schläfst du?

	liest		.
	sieht		fern.
	spricht		Deutsch.
	fährt		Auto.
	schläft		.

3c

Fassen Sie Ihre Ergebnisse zusammen und vergleichen Sie.

*Zwei Lernende zählen Stunden / Minuten zusammen und vergleichen ihre
Ergebnisse mit einem anderen Lernpaar.*

A: Wir lesen drei Stunden pro Woche.
B: Ihr lest nur drei Stunden?! Wir lesen … *Seite 122 ÜB*

Die Arbeitswoche

4a

Berufe und Arbeitszeiten. Welcher Text passt zu welchem Foto? Ordnen Sie zu.

C *Aylin Torun studiert Medizin. Von Montag bis Freitag ist sie von 9 bis 16 Uhr in der Uni. Meistens macht sie um 13 Uhr Pause. Abends lernt die Studentin. Am Sonntag jobbt sie oft im Krankenhaus.*

A *Tom Broschek ist arbeitslos. Im Moment macht er ein Praktikum im Kindergarten. Er arbeitet von 8 bis 17 Uhr. Um 12 Uhr ist Mittagspause. Abends jobbt der Praktikant im Fastfood-Restaurant. Am Wochenende hat er frei.*

B *Jana Mahl ist IT-Spezialistin und hat eine Computer-Firma. Sie arbeitet zirka 50 Stunden pro Woche von 8 bis 19 Uhr. Manchmal arbeitet sie auch am Samstag. Sie macht keine Pause. Sie isst zwischendurch ein Butterbrot im Büro.*

D *Sven Bode arbeitet von 7 bis 14 Uhr oder von 14 bis 20 Uhr im Hotel. Vormittags macht er um 11 Uhr Pause, nachmittags um 17 Uhr. Am Montag hat er frei.*

4b

Wer macht was wann und wie lange? Markieren Sie im Text und notieren Sie die Zeitangaben.

	Wie lange arbeitet er / sie? von ... bis ...	Wann hat er / sie frei? am ...	Wann macht er / sie Pause? um ...
Tom Broschek			
Jana Mahl			
Aylin Torun			
Sven Bode			

„AM MONTAG HABE ICH FREI!"

4c

Fragen Sie eine Person im Kurs. Notieren Sie die Ergebnisse. Stellen Sie die Person vor.

evtl. ein Wörterbuch benutzen

Was machst du beruflich?	Ich bin ... / Ich bin Student / Studentin.
Was arbeitest du im Moment?	Ich bin im Moment arbeitslos. / Ich bin Praktikant / Praktikantin. / Ich jobbe ...
	Ich studiere ... / Ich mache ein Praktikum.
Wie lange arbeitest du?	Ich arbeite von ... bis ... / am Wochenende / ...
Wann hast du Pause?	Um zwölf Uhr. / Um dreizehn Uhr. / Um ...
Wann hast du frei?	Am Samstag und am Sonntag. / Ich habe immer am ... frei.

 Seite 123 ÜB

Moment mal!

  5a   *Track 48*

Früh am Morgen. Hören Sie die Uhrzeiten.

Es ist sechs Uhr. Es ist sechs Uhr fünf. Es ist sechs Uhr zehn.
Es ist sechs Uhr fünfzehn. Aufstehen!!

„*ICH STEHE UM 6 UHR AUF.*"

  5b *Track 49*

Sehen Sie die Bilder an. Was sagt Herr K.? Hören und lesen Sie.

Jeden Tag das Gleiche: am Montag, am Dienstag, am Mittwoch, … 6 Uhr. Der Wecker klingelt. 6 Uhr 5. Der Wecker klingelt noch mal.
6 Uhr 10. Ich wache langsam auf. 6 Uhr 15. Ich stehe auf. 7 Uhr. Ich fahre los. 7 Uhr 45. Ich packe die Tasche aus, der Arbeitstag fängt an
… Moment mal! Ich wache auf. Ich höre einen Vogel. Die Sonne scheint. … Ist das nicht wundervoll?

5c 💻 *Clip 7* 📄 *Seite 56 KB*

Welcher Satz passt zu welchem Bild? Schreiben Sie.

▢	Herr K. fährt los.
▢	Herr K. steht auf.
▢	Der Arbeitstag fängt an.
▢	Herr K. wacht auf.
▢	Herr K. packt die Tasche aus.

5d

Wann macht Herr K. was? Ergänzen Sie die Uhrzeiten.

Herr K. wacht *um*   auf.
Herr K. steht   auf.
Herr K. fährt   los.
Herr K. packt   die Tasche aus.
Der Arbeitstag fängt   an.

  6a *Track 50* 📄 *Seite 56 KB, Seite 129 ÜB*

Im Rhythmus: Hören Sie.

A: Er wacht **auf**. Er steht **auf**. Er fährt **los**. Er kommt **an**.
B: Sie wacht **auf**. Sie steht **auf**. Sie fährt **los**. Sie kommt **an**.

Chor: Sie wachen **auf**. Sie fangen **an**. Wir wachen **auf**.
Wir fangen **an**.

A: Jeden Tag **auf**wachen, **auf**stehen, **los**fahren,
ankommen, **an**fangen, **ar**beiten. **Toll**!

B: **Auf**wachen, **Sport** machen, **le**sen und **fern**sehen,
essen und **nichts** tun. Ach, **wun**dervoll!
Ich wache **auf**, du wachst **auf**, … mittags um **zwei**.
Frühstück im **Bett**. **Schön**! Heute ist **frei**!

6b

Hören Sie noch einmal. Sprechen Sie mit.

 7

Auch Routine ist schön! Schreiben Sie einen Text.

Lernende sammeln zuerst gemeinsam passenden Wortschatz aus der Lektion. Dann schreiben Sie einen Text und präsentieren ihn.

aufwachen	Musik hören	schön / toll / …
aufstehen	Sport machen	die Sonne scheint
losfahren	…	…

Ich wache auf und höre Musik.
Die Sonne scheint. …
Das ist schön!

📄 *Seite 124 ÜB*

B | Sonntag ist Ruhetag

spazieren gehen

Kaffee trinken

Flaschen wegwerfen

einkaufen

Sonntag 10.30	Hallo, ich heiße Eric. Ich komme aus den USA. Ich studiere in Heidelberg.
	Alles wunderbar. Nur der Sonntag nervt. Warum? Sonntag ist Ruhetag.
	Du willst bis zehn Uhr schlafen? Das geht leider nicht. Die Kirchenglocken sind sehr laut.
	Coole Party am Samstag. Du willst Flaschen wegwerfen. Das geht leider nicht. Das ist zu laut.
Sonntag 12.45	Du willst Musik machen? Aber leise. Heute ist Sonntag.
	Du willst einkaufen? Das geht leider nicht. Die Geschäfte haben zu. Und wo kauft man die Sonntagszeitung?
Sonntag 15.00	Aber der Sonntag ist auch schön.
	„Hallo Eric!" Anna ruft an. „Willst du spazieren gehen? Und willst du Kaffee trinken? Und willst du abends den Krimi im Fernsehen sehen?" Sonntag: Zeit für Freunde.

8a 🔊 *Track 51*

Am Sonntag.

Hören Sie. Welches Geräusch passt zu welchem Bild? Notieren Sie die Tätigkeiten.

Geräusch 1 _____

Geräusch 2 _____

Geräusch 3 _____

Geräusch 4 _____

Geräusch 5 _____

Geräusch 6 _____

Geräusch 7 _____

8b

Lesen Sie den Text und markieren Sie die Tätigkeiten zu den Bildern.

**einen Krimi im
Fernsehen sehen**

lange schlafen

Musik machen

„DAS GEHT LEIDER NICHT!"

 8c Clip 8 📄 Seite 57 KB

**Was geht am Sonntag, was nicht? Lesen Sie den Text noch
einmal und kreuzen Sie an.**

	Das geht.	Das geht leider nicht.
Ich will lange schlafen.		
Du willst Kaffee trinken.		
Er will einkaufen.		
Wir wollen mit Freunden spazieren gehen.		
Ihr wollt den Krimi im Fernsehen sehen.		
Sie wollen Flaschen wegwerfen.		

9a 🔊 Track 52

Im Rhythmus: Hören Sie.

A: Ich will, du willst, er will … ins Kino gehen.
Wir wollen, ihr wollt, sie wollen … den Krimi sehen.
B: Ich will nicht ins Kino gehen.
C: Wir wollen nicht den Krimi sehen.
A: Willst du spazieren gehen? Wollt ihr den Krimi sehen?
Willst du ins Theater gehen? Wollt ihr gern shoppen gehen?
B: Ach nein, das geht leider nicht.
C: Heute ist Deutschunterricht!

 9b

Hören Sie noch einmal. Sprechen Sie in Gruppen zu dritt.

 10a

Partnerinterview: Was willst du am Sonntag machen?
Fragen Sie sich gegenseitig. Machen Sie Notizen.

spazieren gehen | Kaffee trinken und Kuchen essen |
lange schlafen | ins Theater gehen | …

A: Willst du am Sonntag den Krimi sehen?
B: Nein, ich will den Krimi nicht sehen. Ich will …

 10b

Präsentieren Sie Ihre Ergebnisse.

… will den Krimi nicht
sehen. Er / Sie will …

📄 Seite 125 ÜB

Nur eine Frage

11a   *Track 53*

Sonntagabend, 18 Uhr 30. Was müssen die Personen noch machen? Hören Sie die Sätze und ordnen Sie sie zu.

vor dem Hören die Sätze lesen

Hanna Hunger, 24 Jahre, Zürich E

Rudi Sander, 44 Jahre, Frankfurt D

Marvin Stadler, 30 Jahre, Wien F

Alex Sowa, 23 Jahre, Flensburg A

Sandra und Jakob Meyer, 12 und 10 Jahre, Stuttgart B

Miriam und Andreas Krause, 34 und 39 Jahre, Bremen C

Nur eine Frage: Was müssen Sie heute Abend noch machen?

a Ich habe im Moment viel Stress. Ich muss noch lernen. Leider.

b Wir müssen um sieben zu Hause sein. Wir müssen schnell machen.

c Wir müssen noch Abendbrot essen und dann wollen wir den Krimi sehen.

d Jetzt? Ich muss arbeiten. Ich bin Taxifahrer.

e Entschuldigung. Ich habe keine Zeit. Ich muss schnell telefonieren.

f Müssen? Ich weiß nicht. Nichts. Heute ist Sonntag.

„ICH MUSS HEUTE NICHTS MACHEN."

11b *Seite 57 KB*

Ergänzen Sie.

Alex muss noch _____.

Sandra und Jakob müssen _____.

Rudi muss _____.

Marvin muss _____.

Hanna muss _____.

Miriam und Andreas müssen _____.

11c

Was müssen Sie am Sonntag machen / nicht machen? Erzählen Sie.

Reihenübung: Jeder sagt einen Satz.

A: Ich muss nichts machen.

B: Ich muss _____

C: Ich muss nicht _____.

…

12a

Was müssen Sie / was wollen Sie heute noch machen? Schreiben Sie 6 Sätze.

Ich muss noch Deutsch lernen. Ich …
Ich will ins Kino gehen.

12b

Und Ihre Kurskollegen? Fragen Sie.

Lernende gehen im Kursraum herum und befragen sich.

Was musst du noch machen?

Was willst du noch machen?

 Seite 126 ÜB

Pünktlich!?

  Track 54

An der Bushaltestelle. Hören Sie den Dialog zweimal.
Was ist richtig? Kreuzen Sie an.

	ja	nein
1. Anna und Eric wollen Bus fahren.		
2. Am Sonntag fahren keine Busse.		
3. Anna und Eric lesen den Fahrplan.		
4. Der Bus kommt nicht pünktlich.		

"*ENTSCHULDIGUNG.*
WIE SPÄT IST ES?"

  Track 55

Wie viel Uhr ist es?
Hören Sie die Uhrzeiten und nummerieren Sie.

3 Es ist Viertel nach sieben.

1 Es ist halb zehn.

2 Es ist Viertel vor zwölf.

4 Es ist zwanzig nach drei.

5 Es ist fünf vor halb sechs.

6 Es ist Mitternacht.

14b

Welche Uhrzeiten passen zusammen? Verbinden Sie.

Es ist 7 Uhr 15.   Es ist Viertel vor zwölf.
Es ist 9 Uhr 30.   Es ist zwanzig nach drei.
Es ist 11 Uhr 45.   Es ist halb zehn.
Es ist 15 Uhr 20.   Es ist fünf vor halb sechs.
Es ist 17 Uhr 25.   Es ist Viertel nach sieben.

14c

Schreiben Sie die Uhrzeiten.

Es ist 23.30 Uhr.	*Es ist halb zwölf* .
Es ist 16.15 Uhr.	*Es ist viertel nach vier* .
Es ist 11.55 Uhr.	*Es ist fünf vor zwölf* .
Es ist 24.00 Uhr.	*Es ist ~~eia~~ zwölf*
Es ist 7.45 Uhr.	*Es ist viertel vor acht* .

15a

Wann kommt der Bus? Lesen Sie den Dialog.

A: Entschuldigung. Wie spät
ist es? / Wie viel Uhr ist es?
B: Es ist fünf nach halb zwölf.
A: Und wann kommt der Bus?
B: Um Viertel vor zwölf.
A: Oje! So spät.

Uhr	Montag – Freitag	Samstag	Sonntag
6	15 45	24 54	33
7	15 45	24 54	33
8	15 45	24 54	33
9	15 45	24 54	03 33
10	15 45	24 54	03 33
11	15 45	24 54	03 33
12	15 45	24 54	03 33
13	15 45	24 54	03 33
14	15 45	24 54	03 33
15	15 45	24 54	03 33
16	15 45	24 54	03 33

15b

Variieren Sie den Dialog mit anderen Uhrzeiten.

9.03 Uhr | 16.14 Uhr | 13.15 Uhr | 12.54 Uhr | ...

Oje! So spät.

Super! Der Bus kommt gleich.

 Seite 127 ÜB

REDEMITTEL

Zeitangaben und Uhrzeiten

Wie spät ist es? / Wie viel Uhr ist es?	Es ist halb elf. / Es ist zehn Uhr dreißig.
Wann stehst du auf?	Ich stehe um sieben Uhr auf.
Wann arbeitest du?	Von … bis … Uhr.
Wann hast du Freizeit?	Am Abend und am Wochenende. / Abends, samstags und sonntags.
Wie lange?	Eine Woche.
Wie viele Stunden?	Drei Stunden und zwanzig Minuten.

> Man sagt: Es ist 7 Uhr 15.
> Man schreibt: Es ist 7.15 Uhr.

> sonntags = jeden Sonntag

Über Beruf / Arbeit sprechen

Ich bin … Ich arbeite im Büro / im …
Ich bin im Moment arbeitslos.
Ich mache ein Praktikum.
Ich jobbe im Restaurant / im Krankenhaus / im …
Ich bin Student / Studentin. Ich studiere Medizin / Psychologie / …
Ich gehe in die Uni. Ich lerne.

STRUKTUREN

Trennbare Verben *Clip 7*

anfangen	Ich fange an.
aufstehen	Du stehst auf.
auspacken	Er packt aus.
losfahren	Wir fahren los.
einkaufen	Sie kaufen ein.

Trennbare Verben im Satz

Ich stehe um 7 Uhr auf.
Wann stehst du auf?
Wir fahren um 7 Uhr los.
Fahrt ihr auch um 7 los?
Sie kaufen um 9 Uhr ein.

AUSSPRACHE

Wortakzent *Track 56*

an + fangen = anfangen
los + fahren = losfahren

Satzakzent *Track 57*

Du wachst **auf**.
Fangt ihr **an**?
Wir kaufen **ein**.
Wann kaufen Sie **ein**?

Satzklammer

1	2	3, 4, …	Satzende
Ich	sehe	am Sonntag	fern.
Ich	gehe	um 8 Uhr	schlafen.
Ich	will	am Sonntag	einkaufen.
Am Samstag	muss	er	arbeiten.

1	2	3, 4, …	Satzende
Ich	sehe	am Sonntag	nicht fern.
Ich	gehe	um 8 Uhr	nicht schlafen.
Ich	will	am Sonntag	nicht einkaufen.
Am Samstag	muss	er	nicht arbeiten.

STRUKTUREN

Verben mit Vokalwechsel

fahren	lesen	sprechen
ich fahre	ich lese	ich spreche
du fährst	du liest	du sprichst
er / sie / es fährt	er / sie / es liest	er / sie / es spricht
wir fahren	wir lesen	wir sprechen
ihr fahrt	ihr lest	ihr sprecht
sie fahren	sie lesen	sie sprechen
Sie fahren	Sie lesen	Sie sprechen
auch so: schlafen	auch so: sehen	auch so: essen

du und er / sie / es: a → ä
du und er / sie / es: e → i, ie

Modalverben wollen und müssen Clip 8

wollen	müssen
ich will	ich muss
du willst	du musst
er / sie / es will	er / sie / es muss
wir wollen	wir müssen
ihr wollt	ihr müsst
sie wollen	sie müssen
Sie wollen	Sie müssen

AUSSPRACHE

Alles im Rhythmus Track 58

Es ist sechs Uhr **zehn**. Guten **Mor**gen! Hal**lo**!
Wir gehen gleich **los**. Ach, ich **freu**e mich so!
  Ach **nein**, ich will **schla**fen. Es ist noch **Nacht**.
  Ich **schla**fe heute bis Viertel vor **acht**.

    Wann fährt der Bus? Um sieben Uhr **zehn**?
    Es ist **sie**ben. Wir müssen gleich **gehn**.
      Ich **muss** nicht aufstehen. Ich habe **frei**.
      Ich nehme den Bus um dreizehn Uhr **drei**.

        Schlaf **gut**. Du **musst** nicht aufstehen.
        Tschüss! Und auf **Wie**dersehen!

05

Was denken Sie:
Was steht auf den Postkarten?
Für wen sind sie?

Wünsche und Träume

A 60	**B** 64
Gute Wünsche	**Wunschträume**
→ die Familie: der Vater, die Mutter, …	→ Ich möchte ein Haus mit Garten.
→ Wir sind verheiratet. Ich bin Single.	→ Ich möchte eine Weltreise machen.
→ Die Schwester ist 23 Jahre alt.	→ Ich kann fliegen.
→ mein Mann, deine Freundin, unser Kind	→ Ich bin glücklich.
→ Dein Freund ist nett. Das Baby ist süß.	→ Sie hatte keine Angst. Sie war frei.
→ Leb deine Träume! Hab Spaß!	→ Wir möchten viel. Wir müssen nichts. Wir wollen und können alles.

* *Kommunikation: über die Familie sprechen; gute Wünsche / Ratschläge geben; persönliche Angaben machen; Meinung äußern*
* *Wortschatz: Familie, Wünsche*
* *Grammatik: Imperativ (2. Person Singular und Plural); Possessivartikel*
* *Phonetik: Ö- und Ü-Laute*
* *Landeskunde: Familie in D-A-CH*

* *Kommunikation: über Wunschträume sprechen und sie kommentieren; einen Text zusammenfassen; ein Lied verstehen und bewerten*
* *Wortschatz: Gefühle, Persönliches*
* *Grammatik: möcht-, Modalverb können; Präteritum von sein und haben (1. und 3. Person Singular)*

68

Redemittel, Strukturen, Aussprache

A | Gute Wünsche

Familien in D-A-CH.

Wählen Sie eine Familie und lesen Sie den Text.

Achten Sie darauf, dass sich die Lernenden für verschiedene Texte entscheiden und alle Texte vorkommen.

Hamburg
Leo, Mareike (35) und
Christoph (33)

Sind Sie die Eltern?
Ja. Christoph ist der Vater und ich bin die Mutter.
Sind Sie verheiratet?
Ja.
Haben Sie schon Kinder?
Nein, Leo ist unser erstes Kind.
Wie alt ist er denn?
Leo ist 4 Wochen alt.
Welche Wünsche haben Sie für Ihr Baby?
Glück und Gesundheit.

Salzburg
Clara, Andrea (36) und Josef (60)

Sind Sie die Mutter von Clara?
Nein. Ich bin die Tante.
Wie alt ist Clara denn?
Sie ist vier Tage alt.
Haben Sie auch Kinder?
Nein. Vielleicht später.
Sind Sie verheiratet?
Nein, ich bin Single.
Und sind Sie der Großvater?
Ja, und ich bin sehr glücklich.
Welche Wünsche haben Sie für Clara?
Gesundheit und Erfolg.

„LEO IST UNSER ERSTES KIND."

1b

Stellen Sie Ihren Text vor. Notieren Sie.

Jedes Gruppenmitglied hat einen anderen Text gelesen und stellt diesen vor.

Familie A wohnt in …
Das Baby heißt …
Das Baby ist … alt.
Sie wünschen …

	Familie A	Familie B	Familie C	Familie D
Wo wohnen die Familien?				*Basel*
Wie heißen die Babys?				*Toni*
Wie alt sind die Babys?				*2 Wochen*
Welche Wünsche haben die Familien für die Kinder?				*Viel Liebe*

1c

Ergänzen Sie die Wörter.

Lernende ergänzen gemeinsam die Informationen.

Eltern | Töchter | Mutter | Tante | Bruder | Sohn |
Großvater | Freund

Familie A: Mareike ist die **Mutter** von Leo.

Familie B: Andrea ist die _____ von Clara.

Familie C: Inga und Irma sind die _____ von Heide und Fabian.

Familie D: Toni ist der **Bruder** von Rita.

Familie B: Josef ist der _____ von Clara.

Familie A: Leo ist der **Sohn** von Mareike und Christoph.

Familie D: Robin ist der **Freund** von Rita.

Familie C: Heide und Fabian sind die _____ von Inga und Irma.

Basel

Toni, Rita (27) und Robin (30)

Sind Sie verheiratet?

Nein, Robin ist mein Freund. Wir leben zusammen.

Ist das Ihr Kind?

Nein, das ist mein Bruder.

Ihr Bruder?

Ja, mein Vater hat eine neue Familie.

Wie alt ist Ihr Bruder?

2 Wochen.

Haben Sie noch andere Geschwister?

Ja, eine Schwester. Sie ist 23 Jahre alt.

Welche Wünsche haben Sie für Toni?

Viel Liebe.

Frankfurt

Inga und Irma, Heide (25) und Fabian (28)

Sie haben Zwillinge! Zwei Töchter auf einmal!

Ja. Und wir haben auch noch einen Sohn.

Sind Sie verheiratet?

Ja, schon 5 Jahre.

Wie alt sind Ihre Kinder?

Paul ist 5 und Inga und Irma sind eine Woche alt.

Welche Wünsche haben Sie für Ihre Kinder?

Gesundheit.

2a

Die Familie: Wer ist was? Schreiben Sie.

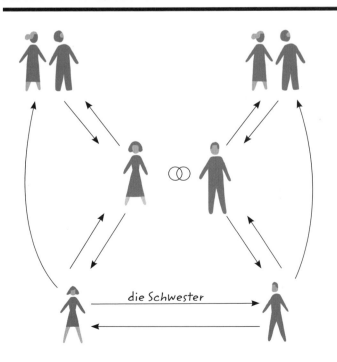

die Schwester

2b   *Track 59*   *Seite 69 KB, Seite 139 ÜB*

Hören Sie und sprechen Sie mit – ö und ü bitte so:

Mütter und Väter und Söhne und Töchter,
Brüder und Schwestern – Familie ist schön.
Alle sind glücklich, Familie ist schön.

Schön? Glücklich?

Ja. ... Naja. Wünsche sind schön.

2c

Erfinden Sie eine Familie.

Lernende erfinden und präsentieren eine Familie.

Wo wohnt die Familie?

Wie heißt das Baby?

Wie heißen die Eltern?

Sind sie verheiratet?

Haben sie schon Kinder?

Welche Wünsche haben sie für ihre Kinder?

 Seite 132 ÜB

Meine Familie, meine Freunde

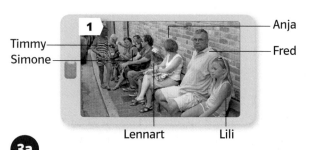

Timmy — Simone — Anja — Fred — Lennart — Lili

Valeria — Vera — Maurits

Gero — Sandra — Lars

3a

Handyfotos. Wie finden Sie die Personen?

hübsch | sympathisch | unsympathisch | nett | jung |
alt | süß | interessant | langweilig

Vera finde ich …   Das Baby ist …

3b *Track 60*

Hören Sie. Über welche Fotos sprechen die Personen?

3c Clip 9 *Seite 68 KB*

Wer ist was? Verbinden Sie.

Das sind **meine** Geschwister. ————— Vera
Das ist sicher **dein** Vater. ————— Fred und Anja
Das ist **seine** neue Frau. ————— Maurits und Valeria
Und das Baby ist **ihr** Sohn. ————— Lars
Und hier siehst du **unsere** Freunde. ————— Lennart und Lili
Und das ist sicher **eure** Mutter? ————— Sandra
Und hier siehst du **ihre** Kinder. ————— Gero

3d

Wie sind die Personen verwandt? Schreiben Sie.

Gero: Sandra ist **seine** Frau, Maurits ist **sein** Sohn und Valeria
          ist *seine* Tochter.
Anja: Lili ist **ihre** Tochter, Fred ist *ihr* Mann und
          Lennard ist *Ihren* Sohn.
Maurits: Vera ist *seine* Mutter, Gero ist *sein*
          Vater und Valeria ist *seine* Schwester.
Vera: Maurits ist *Ihr* Sohn und Valeria ist
          sIhre Tochter.

4a *Track 61*

Im Rhythmus: Hören Sie und lesen Sie.

A: Ist das **dein** Mann?
B: Nein, das ist **mein** Mann.
C: Ist das **dei**ne Frau?
D: Nein, das ist **sei**ne Frau!
B: Ist das **sei**ne Tochter?
A: Nein, das ist **mei**ne Tochter.
D: Sind das **eu**re Freunde?
C: Nein, das sind **un**sere Freunde.
Und das ist **un**ser **Haus**.
A: Das sieht ja **lus**tig aus.

4b

Hören Sie noch einmal. Sprechen Sie mit.

4c

Sprechen Sie in Gruppen.

5

Ihre Fotos. Zeigen und sprechen Sie.
Lernende zeigen sich gegenseitig Fotos auf ihren Handys.

Ist das dein Mann?   Ist das deine Frau?

Ja, das ist mein Mann.   Nein, das ist meine Schwester.

Sympathisch.   Hübsch.

Das sind …

„DEINE FRAU IST HÜBSCH.“

 *Seite 133 ÜB*

Leb dein Leben!

Leb dein Leben! **GEH DEINEN WEG!** Sei mutig! Hab keine Angst!
Sei neugierig! **LERN VIEL!** Bleib gesund! KÜSSE OFT!
HAB EIN ZIEL! Sei glücklich! **Denk positiv! Lach viel!** Hab Spaß!
Leb deine Träume! Hab Erfolg! NIMM DAS LEBEN LEICHT!
MACH EINE REISE! STEH FRÜH AUF! Lieb deine Arbeit!

6a

Was sind Ihre Wünsche? Lesen Sie und markieren Sie.

6b

Haben Sie Wünsche für Ihre Kurskollegen? Schreiben Sie.
Lesen Sie Ihren Wunsch vor.

Lernende notieren Wünsche und verteilen sie im Kurs. Jeder liest seinen Wunsch vor.

Sei glücklich! ☺

7a

Leben Sie gut? Kreuzen Sie an.

	Ja.	Nein.
Denkst du positiv?		
Lachst du oft?		
Bist du mutig?		
Liebst du deine Arbeit?		
Hast du ein Ziel?		
Lernst du viel?		
Stehst du früh auf?		
Lebst du deine Träume?		

7b   *Track 62*   *Seite 68 KB*

Fragen Sie sich gegenseitig. Hören Sie ein Beispiel.

A: Lachst du oft?
B: Ja.
A: Das ist gut. Lach oft!

A: Bist du mutig?
B: Nein.
A: Das ist nicht gut. Sei mutig!
Geh deinen Weg!

8a   *Track 63*

Im Rhythmus: Hören Sie und lesen Sie.

A: Seid glücklich und lacht oft und habt ein Ziel!
Liebt eure Arbeit und lernt immer viel!
B: Habt Spaß, bleibt gesund und denkt positiv!
Seid mutig, sprecht laut! Das ist der Imperativ.
AB: Ja, ja. Sprecht es laut! Das ist der Imperativ!

8b

Hören Sie noch einmal. Sprechen Sie mit.

8c

Sprechen Sie in Gruppen (mit Mimik und Gestik).
Schauen Sie sich dabei an.

9

Haben Sie noch Tipps für Ihre Kurskollegen?
Lernende schreiben Tipps auf Zettel, lesen sie vor und hängen sie auf.

cool | glücklich | spazieren | tanzen | Musik | Sport |
Wein | Spaß | …

Habt … Geht … Bleibt … Macht …

Seid … Lebt … Trinkt … Spielt …

„*BLEIBT COOL!*"

 Seite 134 ÜB

B | Wunschträume

Nora
(24 Jahre)

Ich bin im Zoo. Ich schaue die Affen an. Sie sind lustig. Sie essen Bananen, spielen und schreien. Was sagen sie? Ich möchte die Affen verstehen. Plötzlich kann ich alles verstehen. Ich kann ihre Sprache sprechen. Das ist toll!

Sebastian
(19 Jahre)

Ich wohne in Kalifornien. Die Sonne scheint und ich bin gut drauf. Ich habe einen Sportshop und verkaufe Surfboards. Meine Schwester und mein Bruder sind auch da. Wir arbeiten zusammen und können alle super surfen. Wir haben total viel Spaß!

Johannes
(36 Jahre)

Ich bin alt, sehr alt. Ich habe ein Haus mit Garten. Meine 22 Enkel spielen. Sie sind sehr laut. Ich kann nichts verstehen. Da höre ich Musik. Ich möchte tanzen. Wir tanzen alle zusammen. Ich bin glücklich.

 10a

Ich habe einen Traum. Wählen Sie eine Person und lesen Sie.

Lernende wählen einen Text und lesen ihn.

 10c

Zu wem passen die Sätze?

Lernende bilden gemischte Gruppen zu den unterschiedlichen Träumen.

_____ ist alt und möchte gern tanzen.

_____ möchte die Affen verstehen.

_____ kann fliegen.

_____ können alle super surfen.

_____ kann die Affen verstehen.

Alle Zeitungen möchten seine Fotos, aber _____ möchte nur Spaß.

 10b

Welche Wörter sind wichtig? Markieren Sie wie im Beispiel.

Lernende markieren Schlüsselwörter in ihren Texten.

Ich bin Musikerin. Ich kann toll singen und Gitarre spielen – ich bin ein Star! Ich habe viele Fans, nicht nur in Europa. Alle kennen und lieben meine Songs. Sie hören meine Musik, tanzen und haben Spaß. Das ist so cool!

„ICH KANN ALLES VERSTEHEN."

Elisa
(20 Jahre)

*Ich bin Musikerin. Ich kann toll singen und
Gitarre spielen – ich bin ein Star!
Ich habe viele Fans, nicht nur in Europa.
Alle kennen und lieben meine Songs. Sie
hören meine Musik, tanzen und haben
Spaß. Das ist so cool!*

Klaus
(31 Jahre)

*Ich bin Fotograf und ich habe ein Geheimnis:
Ich kann fliegen! Das ist wundervoll. Ich fliege
und fotografiere. Alle Zeitungen möchten meine
Fotos, aber ich möchte nur Spaß! Fotografieren
ist mein Leben!*

10d **Seite 69 KB**

Sprechen Sie über die Träume.

Elisa ist … / Sie kann toll …
und sie kann …

> Das finde ich toll!

Sebastian wohnt in Kalifornien.
Er hat … / Seine Schwester,
sein Bruder und er können …

> Das finde ich interessant!

Nora ist im … / Sie schaut … /
Plötzlich kann sie …

> Das finde ich lustig!

Johannes ist … / Er hat … /
Er möchte …

> Das finde ich wunderschön!

Klaus ist … / Er kann … /
Alle Zeitungen möchten … /
Aber er möchte …

> Das finde ich spannend!

11a

Welche Wunschträume haben Sie? Notieren Sie.

> Ich bin …
> Ich kann …
> Ich möchte …

11b

Sprechen Sie über Ihre Träume.
Sie können auch die Augen schließen.

Ich bin Journalist. Ich kann 20 Sprachen verstehen.
Ich wohne in Paris. Ich kann toll … Ich möchte …
Ich bin … und ich kann …

Seite 135 ÜB

Eine Weltreise – ein Traum?

ie Journalistin Meike Winnemuth gewinnt in einer TV-Quizshow eine halbe Million Euro und reist ein Jahr um die Welt. 12 Monate – jeden Monat eine andere Stadt: Barcelona, Tel Aviv, Mumbai, Addis Abeba … Sie schreibt ein Buch über ihre Reise. Ihr Buch ist ein Bestseller.

2013 im Knaus Verlag erschienen

1. Frau Winnemuth, Sie sind jetzt wieder in Deutschland. Wie war Ihre Reise?

2. Als Frau alleine um die Welt – hatten Sie keine Angst?

3. Ihr Buch ist ein Bestseller. War der Erfolg für Sie eine Überraschung?

4. Sie sagen Ihren Lesern: Habt Mut! Geht neue Wege! Ist Ihre Reise für Menschen mit Job und Familie nicht nur ein Traum?

a. Angst hatte ich nur am Anfang. Meine Frage war: Kann ich das? Kann ich allein reisen? Aber schon in Sydney war meine Angst weg und ich hatte viel Spaß.

b. Nein, eigentlich nicht. Deutsche reisen gern. Und die Frage „Was mache ich mit viel Geld und viel Zeit?" finden viele interessant.

c. Ja, vielleicht. Aber Träume sind wichtig! Die Frage ist: Was ist im Leben möglich? Und möglich ist viel.

d. Die Reise war natürlich interessant. Nur der Anfang war nicht so leicht. Plötzlich war ich ganz frei: Ich hatte keine Uhrzeiten. Keine Routine. Das war komisch.

 12a

Ein Interview mit Meike Winnemuth.

Lesen Sie zuerst den Text zum Foto und verbinden Sie.

Meike Winnemuth	schreibt	eine halbe Million Euro.
Sie	reist	einen Bestseller.
Sie	gewinnt	ein Jahr um die Welt.

 12b

Lesen Sie die Fragen und ordnen Sie die Antworten zu.

 12c

Gedanken nach der Weltreise.

Was passt zusammen? Suchen Sie 3 Satzpaare.

1. Die Reise war natürlich interessant.
2. Ich hatte keine Uhrzeiten und keine Routine.
3. Plötzlich war ich frei.
4. Aber schon in Sydney war meine Angst weg und ich hatte viel Spaß.
5. Angst hatte ich nur am Anfang.
6. Nur der Anfang war nicht so leicht.

 12d

Lesen Sie Frau Winnemuths Gedanken im Kurs vor.

Die Journalisten denkt: „Plötzlich war ich frei, ich hatte keine …"

 12e *Clip 10*

Was wissen Sie über ihren Lebenstraum?

Fassen Sie zusammen und vergleichen Sie.

Die Journalistin Meike Winnemuth gewinnt ▮▮▮▮▮

▮▮▮▮▮

Sie macht ▮▮▮▮▮

Sie hatte keine ▮▮▮▮▮

Sie hatte viel ▮▮▮▮▮

Sie war plötzlich ▮▮▮▮▮

13 *Seite 69 KB*

Was denken Sie über die Journalistin und ihre Reise?

Die Journalistin		cool
Die Frau		toll
Frau Winnemuth	ist / war	mutig
Ihre Reise	hat / hatte	wunderschön
Die Weltreise		(un)gefährlich
		(un)interessant
		viel Spaß
		viel Mut

Die Frau ist toll!

Ihre Reise war gefährlich!

Sie hat viel Mut.

 Seite 136 ÜB

Drei Wünsche frei!

```
Ich möchte Millionär sein.
Ich möchte nie mehr arbeiten.
Ich möchte 33 Sprachen sprechen.
Du musst nie mehr pünktlich sein.
Du musst morgens nicht früh aufstehen.
Du musst nie mehr etwas versprechen.

    Meine Wünsche? Deine Wünsche? Seine Wünsche?
    Ihre Wünsche? Unsere Träume?

Er will viele Kinder haben.
Er will ein Haus und ein Auto.
Er will seine Traumfrau heiraten.
Sie kann super tanzen.
Sie kann perfekt Deutsch, Spanisch und Englisch.
Sie kann einen Bestseller schreiben.

    Meine Wünsche? Deine Wünsche? Seine Wünsche?
    Ihre Wünsche? Unsere Träume?
    Meine Wünsche? Deine Wünsche? Seine Wünsche?
    Ihre Wünsche? Unsere Träume?

Wir möchten viel.
Wir müssen nichts.
Wir wollen und können alles.

    Meine Wünsche? Deine Wünsche? Seine Wünsche?
    Ihre Wünsche? Unsere Träume?
```

14a   *Track 64*

Drei Wünsche frei! Hören Sie das Lied.

14b

Wie finden Sie das Lied? Hören Sie es noch einmal.

cool | witzig | schön | langweilig | …

> Ich finde das Lied cool.

15a

Was sind Ihre Wünsche?
Lesen Sie den Liedtext und wählen Sie drei Wünsche aus.

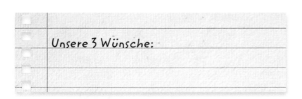
Unsere 3 Wünsche:

15b

Vergleichen Sie mit einer anderen Gruppe.
Haben Sie gemeinsame Wünsche?

Wir wollen …
Wir können …
Wir müssen nicht …
Wir …
Was sind eure Wünsche?

16a

Schreiben Sie eine Strophe für einen Kurskollegen.

… will …
… kann …
… muss nicht …
… möchte …

16b

Lesen oder singen Sie die Strophe zusammen vor.

„*WIR MÖCHTEN VIEL.*
WIR MÜSSEN NICHTS.
WIR WOLLEN UND KÖNNEN ALLES.“

 *Seite 137 ÜB*

Die Familie

der Mann, die Frau
der Vater, die Mutter
der Sohn, die Tochter
der Bruder, die Schwester
der Großvater, die Großmutter
der Onkel, die Tante

Gefühle

Ich bin glücklich / gut drauf (ugs.)
Ich habe Angst. Du hast Mut. Wir haben Spaß.

Meinung

Ich finde das (un)interessant / toll / cool / lustig / (un)gefährlich / …
Das ist spannend / langweilig / …

Der Possessivartikel Clip 9

	der / das	**die**	**die (Plural)**
ich	mein Vater	meine Mutter	meine Eltern
du	dein Bruder	deine Schwester	deine Eltern
er / es	sein Sohn	seine Tochter	seine Eltern
sie	ihr Sohn	ihre Tochter	ihre Eltern
wir	unser Vater	unsere Mutter	unsere Eltern
ihr	euer Bruder	eure (!) Schwester	eure (!) Eltern
sie	ihr Sohn	ihre Tochter	ihre Eltern
Sie	Ihr Sohn	Ihre Tochter	Ihre Eltern

er / es → sein: Er liebt seine Frau. (die Frau)

sie → ihr: Sie liebt ihren Mann. (der Mann)

Achtung: Das ist euer Haus. – Das sind eure Kinder.

Der Imperativ

2. Person Singular
Lernst du? – Lern!
Kommst du? – Komm!
Lachst du? – Lach!
Fährst du? – Fahr!

Ausnahmen:
Bist du…? – Sei!
Hast du…? – Hab!

2. Person Plural
Ihr lernt. – Lernt!
Ihr kommt. – Kommt!
Ihr lacht. – Lacht!
Ihr fahrt. – Fahrt.

Ihr seid… – Seid…!
Ihr habt… – Habt…!

Der Imperativsatz

1	2		
Iss		Schokolade!	
Lach		viel!	
Steh		früh	auf!
Esst		Schokolade!	
Lacht		viel!	
Steht		früh	auf!

Lach doch mal!

STRUKTUREN

Die Modalverben möcht- / können

können	möcht-
ich kann	ich möchte
du kannst	du möchtest
er / sie / es kann	er / sie / es möchte
wir können	wir möchten
ihr könnt	ihr möchtet
sie können	sie möchten
Sie können	Sie möchten

Das Präteritum von sein und haben *Clip 10*

sein	haben
ich war	ich hatte
er / sie / es war	er / sie / es hatte
Sie waren	Sie hatten

AUSSPRACHE

Ö- und Ü-Laute *Track 65*

langes Ö [ø:]	kurzes Ö [œ]	langes Ü [y:]	kurzes Ü [y]
ö schön, hören öh die Söhne	ö die Töchter, können	ü die Brüder, für üh das Frühstück	ü die Mütter, die Wünsche

> Ö – Eee sprechen und dabei Lippen runden
> Ü – Iii sprechen und dabei Lippen runden

Alles im Rhythmus *Track 66*

Ich, mein, **mei**ne! – Du, dein, **dei**ne!

He, **das** ist mein **Freund** und **das** ist mein **Land**.
Meine Stadt und mein **Haus** …

Oh wie interes**sant**!
Ist das **dei**ne Mu**sik**? Ist **das** hier dein **Traum**?
Ist **das** eure **Spra**che? Ist **das** euer **Raum**?

Hallo, na **klar**, das ist **un**sere Zeit hier.
Das ist nor**mal**. Das ist **cool** und das **wol**len wir.

Ja, das ist nor**mal**. Das ist **schön** und das **kön**nen wir!

Ich, mein, **mei**ne! – Wir, unser, **un**sere! Ihr, euer, **eu**re, …

1 **Deutschland, Österreich, Schweiz oder Liechtenstein? Ordnen Sie zu.**
Mehrere Antworten sind möglich.

	Deutschland	Österreich	Schweiz	Liechtenstein	
Hauptstadt					Berlin | Bern | Vaduz | Wien
Nachbarländer					9 | 8 | 5 | 2
Größe					41 293 km² | 160 km² | 83 879 km² | 357 121 km²
Berge					Matterhorn | Zugspitze | Großglockner | Vordere Grauspitz
Menschen					36 842 | 80,2 Millionen | 8,1 Millionen | 8,4 Millionen
Landessprachen					Deutsch | Französisch | Italienisch | Rätoromanisch
Flüsse					Rhein | Donau | Elbe
Autokennzeichen					FL | A | CH | D
Geld					Euro | Schweizer Franken
Seen					Bodensee | Vierwaldstättersee | Wörthersee

2a **Sehen Sie die Bilder auf der D-A-CH-L-Karte an. Was kennen Sie?**

1.
2.
3. *Brandenburger Tor in Berlin*
...

1. Kreidefelsen auf Rügen
2. Lübecker Marzipan
3. Hamburger Hafen
4. Brandenburger Tor in Berlin
5. Bremer Stadtmusikanten (Märchen)
6. Walpurgisnacht im Harz
7. Semperoper in Dresden
8. Goethe und Schiller in Weimar
9. Thüringer Bratwurst
10. Kölner Dom
11. Nürburgring (Autorennen)
12. Loreley (Aussichtspunkt am Rhein)
13. Wein aus dem Rheingau
14. Frankfurter Flughafen
15. Weihnachtsschmuck aus dem Erzgebirge
16. Nürnberger Lebkuchen
17. Mercedes in Stuttgart
18. Schwarzwald
19. Olympiastadion in München
20. Mozart in Salzburg
21. Linzer Torte
22. Schloss Schönbrunn in Wien
23. Wein aus dem Burgenland
24. Skispringen in Innsbruck
25. Schokolade aus der Schweiz
26. Heidi (Figur aus einem Kinderroman)
27. Käse aus der Schweiz
28. Uhren aus der Schweiz
29. Rotes Kreuz in Genf
30. Schloss von Vaduz in Liechtenstein

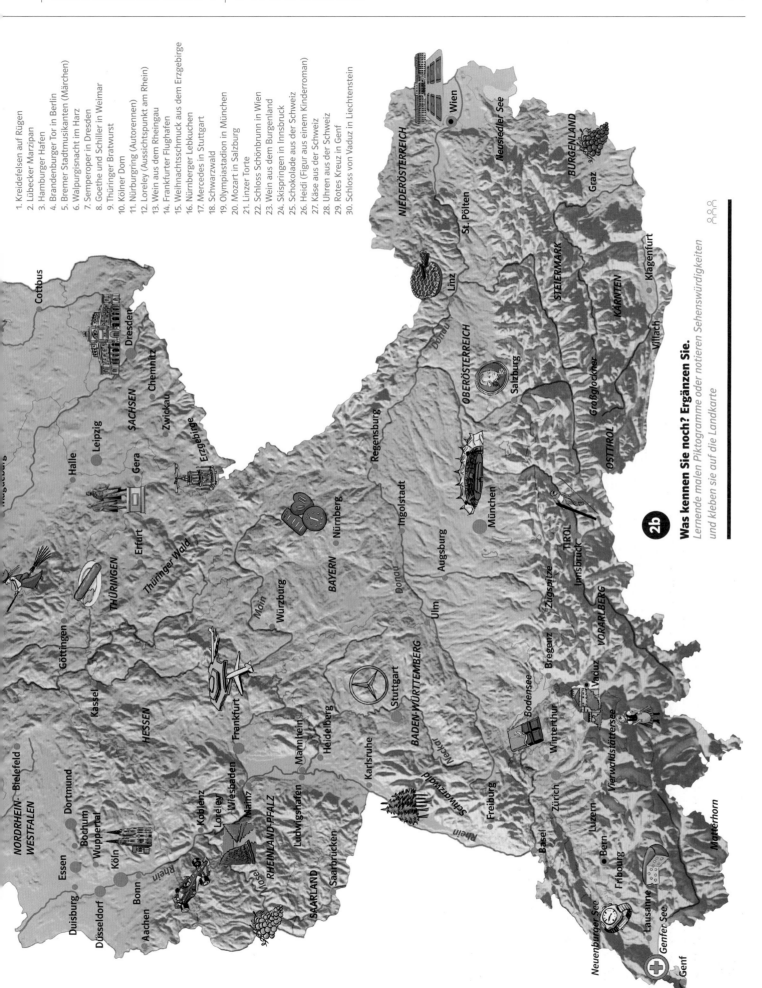

2b **Was kennen Sie noch? Ergänzen Sie.**
Lernende malen Piktogramme oder notieren Sehenswürdigkeiten und kleben sie auf die Landkarte

Reisen Sie durch Deutschland, Österreich und die Schweiz und lernen Sie Menschen kennen.

Begrüßungen *Film 1*

a. Sehen Sie fünf Begrüßungen. Wer sagt was? Verbinden Sie.

Begrüßung	Person	Ort
Hallo	Benjamin Claussen	Luzern
Grüß Gott	Markus Eckstein	Heide
Tag	Leonie Obermüller	Stuttgart
Grüezi	Aytekin Celik	Wien
Moin, moin	Hanna Schwarz	Köln

b. Guten Tag und Hallo sagen alle. Was sagt man wo? Schreiben Sie die Begrüßungen in die Landkarte.

Servus

Grüezi

Freizeit *Film 2*

a. Sehen Sie Janice aus Hamburg. Was ist richtig? Kreuzen Sie an.

	Das sagt oder macht sie im Film.	Das sagt oder macht sie nicht.
Sie reist nach Amerika.		
Sie sieht fern.		
Sie liest.		
Sie macht Sport.		
Sie telefoniert.		
Sie tanzt.		

b. Sehen Sie den Film noch einmal. Was ist richtig? Kreuzen Sie an.

Janice tanzt oft	▢ Walzer.	▢ Tango.	▢ Foxtrott.
Der Freund heißt	▢ Frank.	▢ Franz.	▢ Felix.
Janice und ihr Freund unterrichten pro Woche	▢ einmal.	▢ zweimal.	▢ dreimal.

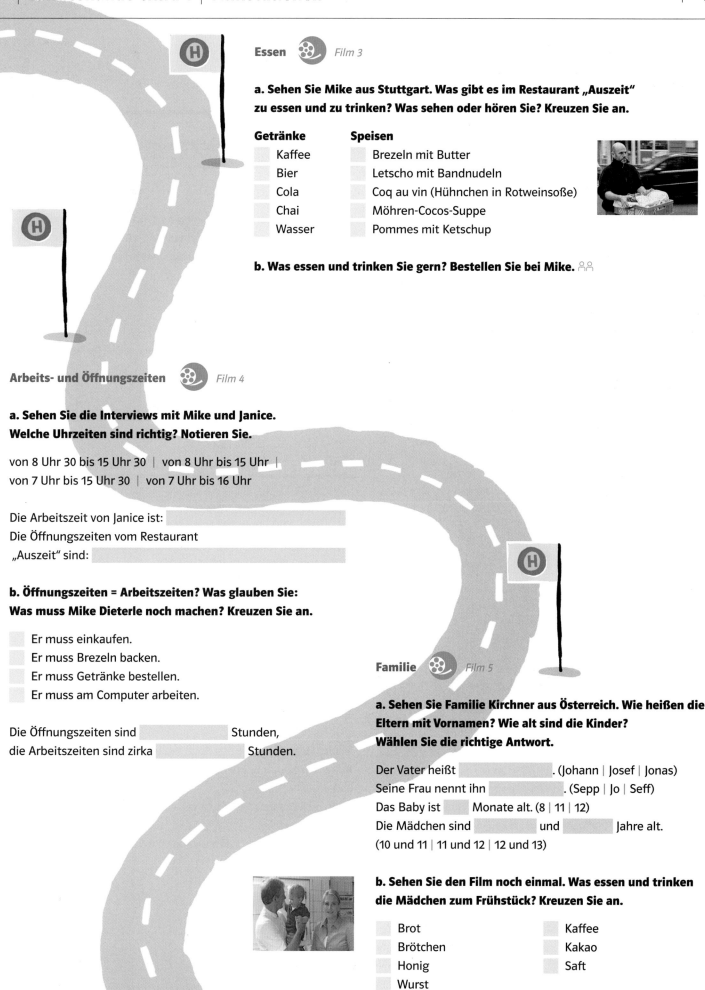

Essen Film 3

**a. Sehen Sie Mike aus Stuttgart. Was gibt es im Restaurant „Auszeit"
zu essen und zu trinken? Was sehen oder hören Sie? Kreuzen Sie an.**

Getränke
- Kaffee
- Bier
- Cola
- Chai
- Wasser

Speisen
- Brezeln mit Butter
- Letscho mit Bandnudeln
- Coq au vin (Hühnchen in Rotweinsoße)
- Möhren-Cocos-Suppe
- Pommes mit Ketschup

b. Was essen und trinken Sie gern? Bestellen Sie bei Mike. 👥

Arbeits- und Öffnungszeiten Film 4

**a. Sehen Sie die Interviews mit Mike und Janice.
Welche Uhrzeiten sind richtig? Notieren Sie.**

von 8 Uhr 30 bis 15 Uhr 30 | von 8 Uhr bis 15 Uhr |
von 7 Uhr bis 15 Uhr 30 | von 7 Uhr bis 16 Uhr

Die Arbeitszeit von Janice ist:
Die Öffnungszeiten vom Restaurant
„Auszeit" sind:

**b. Öffnungszeiten = Arbeitszeiten? Was glauben Sie:
Was muss Mike Dieterle noch machen? Kreuzen Sie an.**

- Er muss einkaufen.
- Er muss Brezeln backen.
- Er muss Getränke bestellen.
- Er muss am Computer arbeiten.

Die Öffnungszeiten sind   Stunden,
die Arbeitszeiten sind zirka   Stunden.

Familie Film 5

**a. Sehen Sie Familie Kirchner aus Österreich. Wie heißen die
Eltern mit Vornamen? Wie alt sind die Kinder?
Wählen Sie die richtige Antwort.**

Der Vater heißt   . (Johann | Josef | Jonas)
Seine Frau nennt ihn   . (Sepp | Jo | Seff)
Das Baby ist   Monate alt. (8 | 11 | 12)
Die Mädchen sind   und   Jahre alt.
(10 und 11 | 11 und 12 | 12 und 13)

**b. Sehen Sie den Film noch einmal. Was essen und trinken
die Mädchen zum Frühstück? Kreuzen Sie an.**

- Brot
- Brötchen
- Honig
- Wurst

- Kaffee
- Kakao
- Saft

Film 1

Markus: Tag zusammen! Ich heiße Markus Eckstein. Ich komme gerade mit dem Zug aus Engelskirchen. Das ist in der Nähe von Köln.

Benjamin: Moin, Moin, ich bin Benjamin Claußen und komme hier aus Friedrichstadt, das ist in der Nähe von Heide, hier ganz oben im Norden an der Nordsee.

Leonie: Grüezi, ich bin Leonie, ich bin sieben Jahre alt, und ich wohne im Quartier Obernau in der Nähe von Luzern.

Aytekin: Grüß Gott, mein Name ist Aytekin Celik. Ich bin 41 Jahre alt und wohne in Stuttgart-Wangen.

Hanna: Hallo, ich bin die Hanna, ich bin 32 Jahre alt, ich wohne hier in Wien.

Film 2

Janice: Hallo! Mein Name ist Janice, und ich wohne hier im Schanzenviertel in Hamburg.

In meiner Freizeit lese ich gerne.
Ich telefoniere gerne mit meinen amerikanischen Freunden, gucke gerne amerikanische Fernsehserien.
Und den größten Teil meiner Freizeit verbringe ich mit Tango-tanzen.

Das ist mein Freund Frank ...

Frank: ... und wir unterrichten dreimal die Woche Tango.

Film 3

Mike: Hallo, grüß Gott. Willkommen in Stuttgart-West. Ich bin der Mike Dieterle.
Moderatorin: Mike – das ist doch ein englischer Name?
Mike: Normalerweise heiße ich Michael, aber meine Freunde nennen mich so.

Moderatorin: Ist das hier wirklich ein Restaurant?
Mike: Eine besondere Art von Restaurant.
Man kann hier frühstücken und mittags hauptsächlich Mittag essen.
Mittags ist es immer sehr voll, es kommen immer viele Leute zum Mittagessen.

Moderatorin: Was gibt es denn heute zu essen?
Mike: Wir haben heute eine Möhren-Kokos-Suppe. Das ist eher indisch.
Dann gibt es Letscho. Das ist eine ungarische Tomaten-Paprika-Soße mit Nudeln.
Und Coq au vin, Hühnchen in einer Rotweinsoße.

Film 4

Moderatorin: Wie lange haben Sie auf?
Mike: Ich mache morgens um acht Uhr auf. Da kommen manchmal mehr, manchmal weniger Leute zum Frühstücken.
Mittags um 15 Uhr schließe ich meinen Laden wieder zu. Dann ist geschlossen.

Moderatorin: Was arbeiten Sie?
Janice: Ich bin Medizinstudentin am Uni-Klinikum in Hamburg. Und zurzeit mache ich ein Wahlfach in der Anästhesie und bin hier im OP der Neurochirurgie.
Moderatorin: Ist das anstrengend?
Janice: Ja, ein wenig, da ich acht Stunden am Tag arbeite von morgens um sieben bis um halb vier nachmittags,
und das ist für eine Studentin doch sehr ungewohnt.
Moderatorin: Und, macht es Spaß?
Janice: Es macht sehr großen Spaß. Ja.

Film 5

Josef: Einen wunderschönen guten Morgen.
Mein Name ist Josef Kirchner. Meine Frau sagt Sepp zu mir.

Maria: Guten Morgen.
Josef: Ja, guten Morgen Josef. Hallo.
Maria: Er ist noch ein bisschen müde.
Josef: Ja, schau, was wir da haben.
Maria: Ich bin die Maria Kirchner. Das ist unser jüngstes Kind, der Josef Kirchner. Der ist elf Monate alt.
Wir haben noch zwei Mädchen, die sind zwölf und dreizehn. Sie haben gerade Ferien und schlafen ein wenig aus.

Kinder: Morgen.
Eltern: Guten Morgen Anna.
Anna: Morgen.
Maria: Guten Morgen Kathrina.
Kathrina: Morgen.
Maria: Ausgeschlafen?
Anna: Ja.
Maria: Oder noch müde?
Kathrina: Müde.
Maria: Ei jo, zu lange Fernsehen geschaut.

Grammatik-Clips *Clip*

Clip 1: Aussagesatz
Clip 2: Definitartikel
Clip 3: W-Fragen und Ja/Nein-Fragen
Clip 4: Indefinitartikel und Negativartikel
Clip 5: Komposita
Clip 6: Akkusativ
Clip 7: Trennbare Verben
Clip 8: Modalverb *wollen*
Clip 9: Possessivartikel
Clip 10: Präteritum *war* und *hatte*

Grammatik im Überblick

Wörter

1 Nomen und Artikel im Nominativ

	Singular			Plural
Definitartikel	der Hut	das Buch	die Tasche	die Länder
Indefinitartikel	ein Hut	ein Buch	eine Tasche	--- Länder
Negativartikel	kein Hut	kein Buch	keine Tasche	keine Länder

Schau, der Hut.

Das ist kein Hut.

Doch, das ist ein Hut.

Tipp:

Lernen Sie Nomen immer mit Artikel!

2 Nomen und Artikel im Akkusativ

	Singular			Plural
Definitartikel	den Hut	das Buch	die Tasche	die Länder
Indefinitartikel	einen Hut	ein Buch	eine Tasche	--- Länder
Negativartikel	keinen Hut	kein Buch	keine Tasche	keine Länder

Ich kaufe den Hut.

3 Der Plural

n/-en	die Familien (die Familie)	-er/-̈er	die Kinder (das Kind)
	die Uhren (die Uhr)		die Länder (das Land)
-nen	die Lehrerinnen (die Lehrerin)	-/-̈	die Computer (der Computer)
-e/-̈e	die Tage (der Tag)		die Töchter (die Tochter)
	die Söhne (der Sohn)	-s	die Fotos (das Foto)

Land, das
Pl., Länder

Tipp:

Lernen Sie immer die Singular- und die Pluralform!
(das Land – die Länder)

4 Personalpronomen

Singular	ich	**Plural**	wir
	du		ihr
	er/sie/es		sie
	Sie		Sie

Woher kommen Sie?

Woher kommen Sie?

5 Das unpersönliche Es

Es ist 8 Uhr.
Es gibt kein Bier.
Wie geht es Ihnen? (Wie geht's Ihnen?)

6 Das Indefinitpronomen man

Man isst in Deutschland viel Brot.
Man isst in Deutschland gern Brot.
Man isst in Deutschland oft Brot.

der Mann   ≠   man

7 Der Possessivartikel im Nominativ

	der	das	die	die (Plural)
ich	mein Vater	mein Kind	meine Mutter	meine Eltern
du	dein Bruder	dein Haus	deine Schwester	deine Eltern
er / es	sein Sohn	sein Buch	seine Tochter	seine Eltern
sie	ihr Sohn	ihr Auto	ihre Tochter	ihre Eltern
wir	unser Vater	unser Kind	unsere Mutter	unsere Eltern
ihr	euer Bruder	euer Haus	eure (!) Schwester	eure (!) Eltern
sie	ihr Sohn	ihr Auto	ihre Tochter	ihre Eltern
Sie	Ihr Sohn	Ihr Buch	Ihre Tochter	Ihre Eltern

Das ist Klaus.

Das ist sein Sohn und das ist seine Tochter.

8 Präpositionen

lokal
aus: Ich komme aus Deutschland.
in: Ich wohne in Berlin.
nach: Ich fahre nach Berlin.
        Ich fahre nach Deutschland.

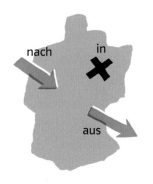

temporal
am: Gert kommt am Montag. (Tag)
um: Er kommt um 12:00 Uhr. (Uhrzeit)
von – bis: Ich arbeite von 8:00 Uhr bis 16:00 Uhr.

Achtung: Ländernamen mit Artikel
der: Iran, Irak, …
die: Schweiz, Slowakei, Türkei, …
Plural: die Niederlande, die USA, …

Ich reise in den Iran, in die Schweiz, in die USA.
Ich komme aus dem Iran, aus der Schweiz, aus den USA.

Tipp:
....
Lernen Sie die Ländernamen mit Artikel! Es sind nur
wenige. (die Schweiz – Ich reise in die Schweiz. –
Ich komme aus der Schweiz.)
....

9 **Regelmäßige Verben im Präsens**

Infinitiv	kommen	heißen	arbeiten
Singular	ich komme	ich heiße	ich arbeite
	du kommst	du heißt (!)	du arbeitest (!)
	er / sie / es kommt	er / sie / es heißt (!)	er / sie / es arbeitet (!)
Plural	wir kommen	wir heißen	wir arbeiten
	ihr kommt	ihr heißt	ihr arbeitet
	sie kommen	sie heißen	Sie arbeiten
	Sie kommen	Sie heißen	Sie arbeiten

10 **sein, haben, mögen**

Ja, Eis esse ich gern.

Magst du Eis?

Wir möchten zwei Eis haben, bitte.

Infinitiv	sein	haben	mögen
Singular	ich bin	ich habe	ich mag
	du bist	du hast	du magst
	er / sie / es ist	er / sie / es hat	er / sie / es mag
Plural	wir sind	wir haben	wir mögen
	ihr seid	ihr habt	ihr mögt
	sie sind	sie haben	sie mögen
	Sie sind	Sie haben	Sie mögen

11 **Verben mit Vokalwechsel**

e → i/ie	essen	lesen	nehmen	a → ä	schlafen
Singular	ich esse	ich lese	ich nehme	Singular	ich schlafe
	du isst	du liest	du nimmst		du schläfst
	er / sie / es isst	er / sie / es liest	er / sie / es nimmt		er / sie / es schläft
Plural	wir essen	wir lesen	wir nehmen	Plural	wir schlafen
	ihr esst	ihr lest	ihr nehmt		ihr schlaft
	sie essen	sie lesen	sie nehmen		sie schlafen
	Sie essen	Sie lesen	Sie nehmen		Sie schlafen

ebenso:
geben
sehen
sprechen

ebenso:
anfangen
fahren

Tipp:

Lernen Sie auch die
3. Person Singular.

12   **Trennbare Verben**

anfangen	Ich fange an.	ebenso: fernsehen – Ich sehe fern.
aufstehen	Du stehst auf.	
auspacken	Er packt aus.	
losfahren	Wir fahren los.	
einkaufen	Sie kaufen ein.	

Tipp:

Lernen Sie auch
einen Beispielsatz!

 13   **Modalverben**

Infinitiv	wollen	müssen	können	möcht-
Singular	ich will	ich muss	ich kann	ich möchte
	du willst	du musst	du kannst	du möchtest
	er/sie/es will	er/sie/es muss	er/sie/es kann	er/sie/es möchte
Plural	wir wollen	wir müssen	wir können	wir möchten
	ihr wollt	ihr müsst	ihr könnt	ihr möchtet
	sie wollen	sie müssen	sie können	sie möchten
	Sie wollen	Sie müssen	Sie können	Sie möchten

Tipp:

Lernen Sie auch die 3. Person Singular!
Die 1. und 3. Person ist immer gleich.

Zahlen bitte!

Ich zahle heute!

Ich möchte zahlen.	Ich muss zahlen.	Ich kann zahlen.	Ich will zahlen.

14   **Der Imperativ**

		Du-Form		**Ihr-Form**
kommen:	du kommst	Komm!	ihr kommt	Kommt!
essen:	du isst	Iss!	ihr esst	Esst!
nehmen:	du nimmst	Nimm!	ihr nehmt	Nehmt!
fahren:	du fährst	Fahr!	ihr fahrt	Fahrt!
schlafen:	du schläfst	Schlaf!	ihr schlaft	Schlaft!
anfangen:	du fängst an	Fang an!	ihr fangt an	Fangt an!
aufstehen:	du stehst auf	Steh auf!	ihr steht auf	Steht auf!
haben:		Hab!		Habt!
sein:		Sei!		Seid!

Lach doch mal!

15 **Das Präteritum von sein und haben**

Infinitiv	sein	haben
Singular	ich war	ich hatte
	er / sie / es war	er / sie / es hatte
	Sie waren	Sie hatten

Da war ich jung!
Ich hatte viel Spaß!

Wortbildung

 16 **Komposita**

der Schinken + das Brot = das Schinkenbrot
das Brot + der Korb = der Brotkorb

das Frühstück s brot

das Pause n brot

Sätze

 17 **Der Aussagesatz**

1	2	3, 4, 5, …		Satzende
Ich	esse.			
Ich	esse		ein Käsebrot.	
Ich	esse	morgens	ein Käsebrot.	
Morgens	esse	ich	ein Käsebrot.	

 18 **Die Satzklammer**

1	2	3, 4, 5, …		Satzende
Ich	stehe		am Sonntag um 8 Uhr	auf.
Am Sonntag	stehe	ich	um 8 Uhr	auf.
Er	muss		am Sonntag	arbeiten.
Am Sonntag	muss	er		arbeiten.
Wir	gehen		am Sonntag	schwimmen.
Am Sonntag	gehen	wir		schwimmen.

19 Die Verneinung im Satz

1	2	3, 4, 5, ...		Satzende
Wir	kochen		am Sonntag	nicht.
Am Sonntag	kochen	wir		nicht.
Er	muss		am Sonntag	nicht arbeiten.
Am Sonntag	muss	er		nicht arbeiten.
Ich	arbeite			nicht gern.

20 Die W-Frage

1	2	3, 4, 5, ...		Satzende
Wann	kommst	du?		
Wie oft	gehst	du	ins Kino?	
Wie lange	siehst	du	jeden Tag	fern?
Was	willst	du	heute	machen?
Wie viele Freunde	hast	du?		

Wann kommst du?	Um 8.00 Uhr.	Wie oft gehst du ins Kino?	Zweimal pro Woche.
Was ist das?	Das ist mein Handy.	Wie lange siehst du jeden Tag fern?	3 Stunden.
Wer bist du?	Ich bin Eva.	Wo wohnst du?	In Wien.
Wie heißt du?	Eva.	Woher kommst du?	Aus Österreich.
Wie viele Freunde hast du?	530 auf Facebook.	Wohin reist du gern?	Nach Berlin.

21 Die Ja/Nein-Frage

1	2	3, 4, 5, ...	Satzende
Machst	du	gern Sport?	
Kommen	Sie	aus Deutschland?	
Stehst	du	am Sonntag um 8.00 Uhr	auf?
Willst	du	ins Kino	gehen?

22 Der Imperativsatz

1	2	3, 4, 5, ...	Satzende
Lies		den Text!	
Steh		morgen um 6 Uhr	auf!
Lest		den Text!	
Steht		morgen um 6 Uhr	auf!

Textgrammatik

 Artikel und Personalpronomen

Das ist Jan. Er kommt aus Berlin.
Das ist Hanna. Sie kommt aus Wien.

Das ist ein Stift. Der Stift war teuer. Er schreibt schön.
Ich kaufe ein Buch. Das Buch ist ein Bestseller. Es ist interessant.
Möchtest du eine Tasche? Die Tasche ist cool. Sie ist teuer.
Nehmen Sie Äpfel! Die Äpfel kommen aus Österreich. Sie schmecken gut.

 Sätze verbinden: und, oder, aber

0	1	2	3, 4, 5, …	Satzende
	Ich	komme	aus Deutschland	
und	ich	spreche	Deutsch und Italienisch.	
	Möchtest	du	heute Abend	fernsehen
oder	möchtest	du	ins Kino	gehen?
	Ich	esse	gern Pizza,	
aber	ich	mag	keine Nudeln.	

Buchstaben und Laute *Track 67*

25 Vokale

Buchstaben	Laute	Beispiele
A-Laute		
A a		ja
Aa aa	[a:]	Staat
Ah ah		Zahl
A a	[a]	Bank
E-Laute		
E e		woher
ee	[e:]	Allee
Eh eh		sehr
Ä ä		Präsens
Äh äh	[ɛ:]	wählen
E e		nett
Ä ä	[ɛ]	ergänzen
-e / e-	[ə]	bitte
		Begrüßung
er- / -er	[ɐ]	vergleichen
		Nummer

Buchstaben	Laute	Beispiele
I-Laute		
I i		Berlin
ie		hier
ih	[i:]	ihr
y		Handy
I i	[ɪ]	bitte
O-Laute		
O o		Auto
Oh oh	[o:]	wohnen
oo		Zoo
O o	[ɔ]	kommen
U-Laute		
U u		super
Uh uh	[u:]	Uhr
U u	[ʊ]	Nummer

Buchstaben	Laute	Beispiele
Ö-Laute		
Ö ö		schön
Öh öh	[ø:]	fröhlich
Ö ö	[œ]	Wörter
Ü-Laute		
Ü ü		Tür
Üh üh	[y:]	Frühling
Y y		typisch
Ü ü		tschüss
Y y	[ʏ]	sympathisch
Diphthonge		
Au au	[aʊ̯]	Frau
Äu äu		Häuser
Eu eu	[ɔʏ̯]	neu
Ai ai		Mai
Ei ei	[aɛ̯]	heißen

26 Konsonanten

Buchstaben	Laute	Beispiele
B b	[b]	Bank
bb		Hobby
-b	[p]	gelb
C c	[k]	Computer
	[ts]	CD
Ch ch	[ç]	sprechen
	[x]	Sprache
chs	[ks]	sechs
ck	[k]	backen
D d	[d]	Adresse
-d	[t]	Kind
dt		Stadt
F f	[f]	Fenster
ff		Kaffee
G g	[g]	gut
-g	[k]	Tag
-ig	[ç] / [k]	traurig
gs	[ks]	mittags
H h	[h]	heißen
h	-	wohnen

Buchstaben	Laute	Beispiele
J j	[j]	ja
K k	[k]	Klingel
ks	[ks]	links
L l	[l]	Land
ll		Allee
M m	[m]	Mann
mm		kommen
N n	[n]	Name
nn		Mann
ng	[ŋ]	Klingel
nk	[ŋk]	Bank
P p	[p]	Platz
pp		Tipp
Pf pf	[pf]	Kopf
Ph ph	[f]	Phonetik
Qu qu	[kv]	Qualität
R r	[ʁ]	Frau
rr		Herr
r	[ɐ]	hier
S s	[z]	Sohn

Buchstaben	Laute	Beispiele
s	[s]	Haus
ss		Adresse
ß		heißen
Sch sch	[ʃ]	schön
Sp sp	[ʃp]	Sport
	[sp]	Prospekt
St st	[ʃt]	Straße
	[st]	Post
T t	[t]	Tür
tt		bitte
Th th		sympathisch
-tion	[ts]	Lektion
ts		rechts
tz		Platz
V v	[f]	vier
	[v]	Visum
W w	[v]	wohnen
X x	[ks]	Max
Z z	[ts]	Zahl
zz		Pizza

Grammatikbegriffe

Bezeichnung	Beispiel	Meine Sprache / Notizen
Akkusativ, der	Ich kaufe einen Hut. Ich mag den Hut.	
Artikel, der	der Mann – ein Mann das Kind – ein Kind die Frau – eine Frau	
Aussagesatz, der	Ich heiße Jan. Wie heißt du? Ich wohne in Graz. Wohnst du auch in Graz?	
Definitartikel, der	Der Kuchen ist gut. Ich mag den Kuchen. Das Eis ist gut. Die Torte ist gut.	
Fragesatz, der	Ich heiße Jan. Wie heißt du? Ich wohne in Graz. Wohnst du auch in Graz?	
Imperativ, der	Spiel Fußball! Spielt Fußball!	
Indefinitartikel, der	Das ist ein Hut. Ich kaufe einen Hut. Das ist ein Haus. Das ist eine Bürste.	
Indefinitpronomen, das	Man isst viel Brot in Deutschland.	
Kompositum, das	das Butterbrot = die Butter + das Brot	
Modalverb, das	Wir können schwimmen. Wir wollen schwimmen. Wir müssen schwimmen.	
Negativartikel, der	Das ist kein Hut. Ich kaufe keinen Hut. Das ist kein Haus. Das ist keine Bürste.	
Nomen, das	Der Mensch kauft Autos und Computer. Aber Glück kann man nicht kaufen.	
Nominativ, der	Die Frau kauft einen Hut. Der Hut ist teuer.	
Personalpronomen, das	Ich singe. Du singst. Er singt. Sie singt. Wir singen. Ihr singt. Sie singen.	
Plural, der	der Stift – die Stifte das Buch – die Bücher die Flasche – die Flaschen	

Bezeichnung	Beispiel	Meine Sprache / Notizen
Possessivartikel, der	Das ist mein Freund. Das ist meine Freundin. Das sind unsere Freunde.	
Präposition, die	Ich komme aus Deutschland. Ich komme um 8 Uhr.	
Präsens, das	Heute bin ich glücklich. Ich habe viel Spaß.	
Präteritum, das	Gestern war ich glücklich. Ich hatte viel Spaß.	
Satzklammer, die	Ich stehe um 8 Uhr auf. Ich muss heute arbeiten.	
Singular, der	der Stift – die Stifte das Buch – die Bücher die Flasche – die Flaschen	
Trennbare Verben	aufstehen: Ich stehe auf. losfahren: Ich fahre los. anfangen: Ich fange an.	
Verb, das	Ich bin Jan. Ich wohne in Graz. Ich mag Kino.	
Verb mit Vokalwechsel, das	Ich esse – du isst – er isst – wir essen	
Verneinung, die	Ich esse nicht gern Brot. Ich esse kein Brot.	

Phonetikbegriffe

Bezeichnung	Beispiel	Meine Sprache / Notizen
Akzentvokal, der	Ku̲chen, e̲ssen	
Diphtong, der	au, äu, eu, ai, ei / [aʊ̯], [ɔœ̯], [ɔœ̯], [aɛ̯], [aɛ̯]	
Konsonant, der	b, c, d, f, g, … / [b], [ts], [d], [f], [g], …	
Laut, der	z. B. E-Laut [e:] le̲sen, ge̲hen, der Te̲e [ɛ] e̲ssen, lä̲cheln [ɛ:] der Kä̲se	
Rhythmus, der	hm-hm-HM! = Guten Tag! Hm-HM-hm? = Wie geht's dir?	
Satzakzent, der	Wir essen Kuchen.	
Satzmelodie, die	Wir essen Kuchen.↘ Ihr esst Kuchen? ↗	
Vokal, der	a, e, i, o, u / [a:], [e:], [i:], [o:], [u:], …	
Wortakzent, der	Ku̲chen, e̲ssen	

lesen

ausfüllen

schreiben

verbinden

ankreuzen

markieren

zuordnen

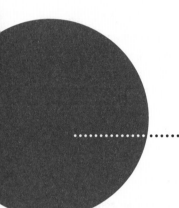

Übungsbuch

Online wiederholen und testen nach jeder Lektion

- pro Lektion 5 Übungen mit allen wichtigen Themen der Lektion
- mit Übungs- und Testmodus
- mit Hilfen / mit Auswertung auf www.klett-sprachen.de/dafleicht, auch für Tablets

1 Bildwörterbuch

der Kaffee

01 .... Hallo! Guten Tag!

Nomen
Deutschland
Österreich
Schweiz
der Name, -n
der Vorname, -n
der Nachname, -n
der Kaffee (nur Sg.)
der Tee (nur Sg.)
die Schokolade (nur Sg.)
die Chips (nur Pl.)
das Kino, -s
das Theater, -
der Sport (nur Sg.)
die Musik (nur Sg.)
(der) Fußball (nur Sg.)

das Tennis (nur Sg.)
die Sonne (nur Sg.)
der Regen (nur Sg.)
das Telefon, -e
die E-Mail, -s
die Tasche, -n
der Stift, -e
das Handy, -s
das Buch, -ü-er
der Schlüssel, -
die Flasche, -n
das Portmonee, -s
die Brille, -n
der Lippenstift, -e
das Foto, -s
das Heft, -e

das Taschentuch, -ü-er
die Zigarette, -n
die Zeitung, -en
der Spiegel, -
die Zahnbürste, -n
der Mann, -ä-er
die Frau, -en
das Wort, -ö-er

Personalpronomen
ich
du
er
sie
Sie

2 Assoziationen

das Handy

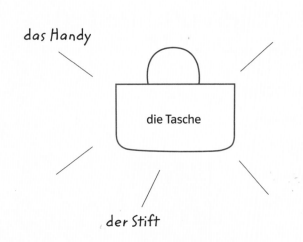
die Tasche

der Stift

3 Artikel

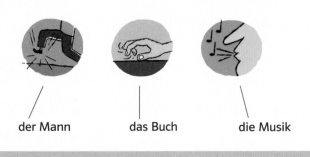
der Mann   das Buch   die Musik

der: Mann, Regen, Sport, ...

das: Buch, ...

die: Frau, Musik, ...

Verben

heißen

sein, ist

schreiben

Adjektive

gut

schön

Fragewörter

Wie?

Wer?

Was!

Wendungen

Hallo!

Guten Tag!

Guten Morgen!

Guten Abend!

Gute Nacht!

Mein Name ist …

Ich komme aus …

Ich mag …

Tschüss!

Auf Wiedersehen!

Ciao!

Wie geht's?

Wie heißt das auf Deutsch?

Wie schreibt man das?

Wie bitte?

Herr Müller

Frau Müller

Das ist …

Noch einmal, bitte!

danke / danke schön

bitte / bitte schön

Kleine Wörter

und

oder

ja

nein

auch

da

in

4

Fragen und Antworten

1. Wie heißt du?

   Ich heiße Aidan .

2. *Wie geht's* ?

   Danke. Und wie geht's dir?

3. Wie *heißt das auf Deutsch?* ?

   Das ist die Tafel.

5

Rätsel

gel ~~ball~~
Tee tuch sel
The ~~Fuß~~
Schlüs Ta ater
Spie pen
Lip lo stift
Hal schen

Fußball   Spiegel
Schlüssel   Hallo
Taschentuch   Tee
Lippenstift   Theater

6  *Seite 12-13 KB,* **1-4**

Verbinden Sie Fragen und Antworten.

1. Guten Tag. Ich heiße Paul Simon. Wie heißen Sie?

2. Hallo. Ich bin Jonas. Wie heißt du?

3. Ich bin Ina aus Köln. Und du?

a. Hallo. Ich heiße Hanna.

b. Mein Name ist Philip. Ich komme auch aus Köln.

c. Guten Tag, ich heiße Kento Sato.

7

Ergänzen Sie.

heißen | bin | sind | bist | heiße | heißt → *who*

Wie *heißt* du? Wer *bist* du? Ich *bin* Philip.

Wie *heißen* Sie? Wer *sind* Sie? Ich *heiße* Philip.

8

Setzen Sie ein.

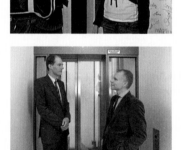

ich | du | ich | ich

Marie: Hallo, ich bin Marie. *ich* komme aus Graz. Und wer bist *du* ?

Paula: Hallo, *ich* bin Paula. *ich* komme auch aus Graz.

ich | Sie | ich | ich

Herr Schmidt: Guten Tag. Ich heiße Hans Schmidt. Und wie heißen *Sie* ?

Herr Müller: Guten Tag. *ich* heiße Max Müller. *ich* komme aus Bern.

Herr Schmidt: Ah, aus Bern?! *ich* komme auch aus Bern.

9

Antworten Sie.

1. Hallo, ich bin Anna. Und du? *Ich bin Aidan*

2. Guten Tag, ich bin Felix Reiter. Und Sie? *Ich bin Aidan Garrity*

3. Guten Tag, mein Vorname ist Nomi. Mein Nachname ist Cross. Und wie heißen Sie? *Ich heiße Aidan Garrity.*

10 *Seite 14 KB, 5*

Wer mag was? Schreiben Sie.

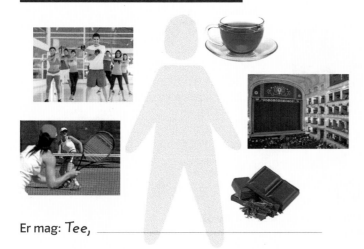

Er mag: *Tee,* _____

_____ und _____

Sie mag: *Kaffee,* _____

11

Ergänzen Sie.

und | oder | und | oder | und | oder

1. Tee **oder** Kaffee? – Kaffee, bitte!

2. Ich mag Sonne **und** Regen. Er mag Chips **und**

   Schokolade.

3. Wien **oder** Berlin? – Ich komme aus Berlin.

4. Theater **oder** Kino? – Nein, ich mag Sport: Fußball

   und Tennis.

12a *Track 1*

Hören Sie. Kreuzen Sie an.

Ich heiße	Maja	Karla
Ich komme aus Köln.	☐	☐
Graz.	☐	☐
Ich mag Kaffee.	☐	☐
Tee.	☐	☐
Schokolade.	☐	☐
Chips.	☐	☐
Kino.	☐	☐
Theater.	☐	☐
Musik.	☐	☐

12b

Und Sie? Schreiben Sie.

Hallo, ich bin _____

Ich komme aus _____

Ich mag _____ und _____

_____

_____

_____

13

Ergänzen Sie.

sie | ich | er | Sie | du

ich	heiße	*ich*	komme aus	*ich*	bin
		du	kommst aus	*du*	bist
er *sie* *du*	heißt	*er*		*er*	
			kommt aus		ist
		sie		*Sie*	
Sie	heißen	*Sie*	kommen aus	*Sie*	sind

14 ⊟ *Seite 15 KB, 6-7*

Schreiben Sie.

Gute Nacht! | Guten Morgen! | Guten Abend! | Guten Tag!

1. _____

2. _____

3. _____

4. _____

15a

Was passt zusammen?

1. Guten	a. Tag!
2. Guten	b. Wiedersehen!
3. Guten	c. Nacht!
4. Gute	d. Morgen!
5. Auf	e. Abend!

15b 🔊 *Track 2*

Hören Sie. Sprechen Sie mit.

1. Hallo.
2. Guten Morgen.
3. Guten Tag.
4. Tschüss.
5. Ciao.

15c

Ordnen Sie aus 15a und 15b zu.

Begrüßung ↑ _____

_____

Verabschiedung _____

16a

Wie geht's? Ordnen Sie die Sätze.

gut – Guten – es – Ihnen – Danke – geht – Tag – Wie

1. _____! _____?

_____, _____.

geht's – Hallo – Danke – Wie – gut

2. _____! _____?

_____, _____.

16b

Fragen Sie. Wie geht es dir? Wie geht es Ihnen?

1. Guten Tag, Herr Meier. _____?

2. _____?

Danke, gut. Und dir?

3. Hallo, Pia! _____?

4. _____?

Danke, gut. Und Ihnen?

17 Seite 16 KB, **8**

Wie heißen die Wörter?

1. _der Schlüssel_

2. die _____

3. das _____

4. _____

5. _____

6. _____

7. _____

8. _____

18

Finden Sie 7 Wörter. Schreiben Sie.

H	F	L	A	S	C	H	E
E	A	X	U	P	V	Q	H
F	I	S	T	I	F	T	A
T	Y	Z	E	E	O	W	N
K	A	T	U	G	T	Y	D
B	U	C	H	E	O	Z	Y
B	R	I	L	L	E	X	O

die _Flasche_

die _____

der _____

der _____

das _____

das _____

das _____

das _____

19a Seite 17 KB, **9**

Finden Sie die Wörter mit Artikel.

Ta | Zei | gel | Spie | Han | Port | la | Lip | tung |
mo | Scho | dy | sche | stift | ko | pen | de | nee

der _____ , _____

das _____ , _____

die _____ , _____ ,

_____

19b

Ergänzen Sie.

die le   der ⬛ sel   das ⬛ tuch,

die ⬛ rette   der ⬛ gel   das nee,

19c

Meine Tasche. Schreiben Sie.

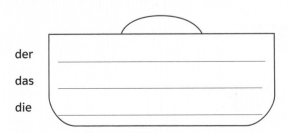

der _____

das _____

die _____

20a  *Seite 18 KB, 11*

Der, das, die …? , , **Sie.**
Schreiben Sie Nomen und Artikel im Singular.

Singular	Plural
1.	—
2.	die
3.	—
4.	die
5.	die
6.	die
7.	—
8.	die

1. 2. 3. 4. 5. 6. 7. 8.

20b *Track 3*

Hören und kontrollieren Sie.

20c

Ergänzen Sie die Nomen im Plural.

21

Schreiben Sie Artikel und Nomen.

<u>der Mann</u>, die Männer   _____, die Vornamen   _____, die Kinos

_____, die Frauen   _____, die Nachnamen   _____, die E-Mails

22a

Welche Pluralendung passt? Sortieren Sie.

~~Brille~~ | Tasche | Kino | ~~Handy~~ | Foto | ~~Spiegel~~ | Zigarette |
Portmonee | E-Mail | Name | Flasche | Schlüssel

-n	Brille,
-s	Handy,
---	Spiegel,

22b *Track 4*

Hören Sie und ergänzen Sie.

1. Die Tasche und die Flasche? – Die Taschen und die _____!

2. Das Foto und das Kino? – _____!

3. Der Spiegel und der Schlüssel? – _____!

4. Das Buch und das Tuch? – _____!

22c

Hören Sie noch einmal. Sprechen Sie mit.

23a *Seite 19 KB,* **13** *Track 5*

Hören Sie das Alphabet und sprechen Sie mit.

Aa	Bb	Cc	Dd	Ee	Ff	Gg	Hh	Ii
[a:]	[be:]	[tse:]	[de:]	[e:]	[ɛf]	[ge:]	[ha:]	[i:]

Jj	Kk	Ll	Mm	Nn	Oo	Pp	Qq	Rr
[jɔt]	[ka:]	[ɛl]	[ɛm]	[ɛn]	[o:]	[pe:]	[ku:]	[ɛr]

Ss	Tt	Uu	Vv	Ww	Xx	Yy	Zz
[ɛs]	[te:]	[u:]	[faʊ]	[ve:]	[ɪks]	['ʏpsilɔn]	[tsɛt]

ß	Ää	Öö	Üü
[ɛstsɛt]	[ɛ:]	[ø:]	[y:]

23b

Welche Buchstaben kennen Sie? Markieren Sie.
Welche nicht? Markieren Sie.

23c

Welcher Buchstabe fehlt? Sprechen Sie. Ergänzen Sie.

De tsch | Das u.

1. ▮ eitung 2. hei ▮ en 3. Sch ▮ eiz 4. Fu ▮ ball 5. Tsch ▮ ss
6. ▮ sterreich 7. sch ▮ n 8. M ▮ nner 9. ▮ iedersehen

24a *Seite 19 KB,* **14** *Track 6*

Wie schreibt man das? Hören Sie. Schreiben Sie.

1. F R A U ▶ *die Frau*
2. ▮▮▮▮ ▶ ▮▮▮▮▮
3. ▮▮▮▮ ▶ ▮▮▮▮▮
4. ▮▮▮▮ ▶ ▮▮▮▮▮
5. ▮▮▮▮ ▶ ▮▮▮▮▮
6. ▮▮▮▮ ▶ ▮▮▮▮▮

24b

Buchstabieren Sie die Wörter.

1. ZAHNBÜRSTE
2. ÖSTERREICH
3. SCHLÜSSEL
4. SCHOKOLADE
5. DEUTSCHLAND

24c *Track 7*

Hören und vergleichen Sie.

24d  *Track 8*

Hören Sie die Dialoge.
Wie heißen die Personen? Schreiben Sie.

1. _____
2. _____
3. _____

25a *Track 9*

Richtig schreiben: Groß oder klein?
Hören Sie und ergänzen Sie.

1. Mein ___ame ist Paul. Ich komme aus ___erlin, aus ___eutschland. Ich mag Regen und ___onne. Ich mag ___erlin und Hamburg.

2. ___ch bin ___ax und komme aus ___ien. ___ch mag ___sterreich und ___affee. Ich mag ___ücher und ___eitungen.

3. ___ch ___eiße ___oritz ___nd ___ch ___omme ___us ___uzern. ___ch ___ag die ___chweiz. ___ch ___ag ___heater ___nd ___port.

25b

Wer mag was? Schreiben Sie Sätze.

ichmagdasbuchunddastaschentuch *Ich mag* _____

siemagösterreichunddieschweiz _____

ermagsportundschokolade _____

26

Ergänzen Sie Ihr „Wortbild".

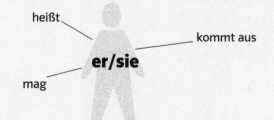

 27a

Wer sind Sie? Schreiben Sie.

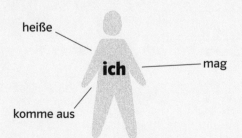

heiße

ich — mag

komme aus

 27b

Wer ist das? Schreiben Sie.

heißt

er/sie — kommt aus

mag

28a *Track 10*

Wortakzent. Hören Sie die Beispiele.

28b *Track 11*

Hören Sie und markieren Sie den Wortakzent.

Fo to | Ki no | Buch | Zi ga ret te | The a ter | Vor na me |

Wien | Ber lin | Ham burg | Lu zern | kom men | hei ßen

28c

Hören Sie noch einmal und sprechen Sie nach.
Klopfen Sie den Wortakzent.

28d *Track 12*

Hören Sie und sprechen Sie nach.

- das Heft, das Buch, der Stift

- das Foto, das Kino, die Tasche

- die Zigarette, die Schokolade, das Theater

- Wien, Berlin, Luzern, Hamburg

29a *Track 13*

Kurze und lange Vokale. Hören Sie die Beispiele.

die Tasche – die Tafel

29b *Track 14*

Kurz (.) oder lang (_)? Hören Sie und markieren Sie.

ich | sie | du | die | das | der | ja | wie | gut | tschüss

danke | bitte | hallo | gehen | kommen

der Tag | die Nacht | der Abend | die Sonne | der Regen

29c

Hören Sie noch einmal und sprechen Sie nach.

29d *Track 15*

Kurz und lang. Hören Sie und sprechen Sie nach.

die Tasche – die Tafel | das Heft – der Tee |
die Brille – der Spiegel | die Sonne – das Foto | und – gut

1
Bildwörterbuch

Sport machen

[handwritten notes:]
reisen nacht — heuter
going to
reisen in die — Plural/fem countries
reisen in den — masc countries

02 .... Zu Hause und auf Reisen

Nomen
der Berg, -e
die Stadt, -ä-e
das Land, -ä-er
die Freizeit (nur Sg.)
Ägypten
Brasilien
China
Griechenland
Italien
Marokko
Mexiko
Polen
Russland
Spanien
Türkei, die
USA, die

die Sprache, -n
Arabisch
Chinesisch
Deutsch
Englisch
Französisch
Hindi
Italienisch
Japanisch
Portugiesisch
Russisch
Spanisch
das Computerspiel, -e
das Restaurant, -s
das Souvenir, -s
das Auto, -s
das Bier, -e

die Blume, -n
die Bürste, -n
der Fußball, -ä-e
das Gummibärchen, -
das Herz, -en
der Hut, -ü-e
das Messer, -
die Postkarte, -n
das Haus, -ä-er
die Tasse, -n
der Wein (nur Sg.)
die Uhr, -en
der Euro, -s
der Franken, -
der Cent, -s
der Preis, -e

2
Assoziationen

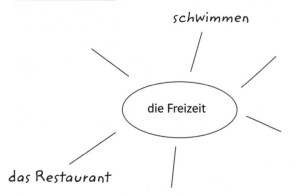

schwimmen

die Freizeit

das Restaurant

3
Beispiele

lustig: _____

lecker: _____

cool: _____

4
Artikel

 der: Hut, die Hüte; _____

 das: Land, die Länder; _____

 die: Postkarte, die Postkarten; _____

Personalpronomen

wir

ihr

sie (Pl.)

Verben

gehen

spazieren gehen,
  geht spazieren

shoppen gehen,
  geht shoppen

tanzen gehen,
  geht tanzen

hören

Musik hören,
  hört Musik

machen

Sport machen,
  macht Sport

Musik machen,
  macht Musik

Pause machen,
  macht Pause

lachen

reisen

schwimmen

spielen

fotografieren

telefonieren

kommen aus,
  kommt aus

kosten

wohnen

Adjektive

hässlich

lecker

lustig

langweilig

cool

teuer

billig

Zahlen

eins, zwei, drei, ...

einhundert / hundert

Fragewörter

Woher?

Wohin?

Wendungen

Viel Spaß!

Ich bleibe zu Hause.

Entschuldigung.

Sprechen Sie Deutsch?

Woher kommt das?

Woher kommen Sie?

Das ist kein/e ...!

Doch, das ist ein/e ...!

Was kostet das?

Das ist teuer!

Kleine Wörter

doch

gern

nicht

5

Fragen und Antworten
━━━━━━━━━━━━━━━━

1. *Was* _____?

   Das ist ein Souvenir.

2. _____?

   Das kommt aus Österreich.

3. _____?

   Das kostet 6 Euro 90.

4. _____?

   Ich komme aus der Schweiz.

6

Mein Wortschatz
━━━━━━━━━━━━━━━━

Ich wohne in _____ (Stadt).

Das ist in / in der _____ (Land).

Ich spreche _____ und _____
(Sprachen).

7

Rätsel
━━━━━━━━━━━━━━━━

Uhr _____

Blu Au to Gum
ser   bär
U̶h̶r̶   me
Mes   Tas
chen   kar
Post   Wein
   mi se te

_____

_____

_____

8   Seite 24 + 25 KB, *1-4*

Was passt? Kreuzen Sie an.

	machen	gehen	spielen	hören
Sport				
ins Kino				
Musik				
Fußball				
ins Restaurant				
shoppen				
tanzen				
Pause				

9

Ergänzen Sie.

~~hörst~~ | schwimme | fotografierst | schwimmst | ~~höre~~ | gehe |
spiele | gehst | machst | spielst | mache | fotografiere

1. *Hörst*   du gern Musik? – Ja, ich *höre*   gern Musik.
2. _____ du gern Fußball? – Nein, ich _____
   nicht gern Fußball.
3. _____ du gern Sport? – Ja, ich _____ gern Sport.
4. _____ du gern tanzen? – Ja, ich _____ gern
   tanzen.
5. _____ du gern? – Nein, ich _____ nicht gern.
6. _____ du gern? – Ja, ich _____ gern.

10a

Wer macht was? Ergänzen Sie.

☺   ☹

ins Restaurant gehen      ~~ins Kino gehen~~
~~shoppen gehen~~   tanzen gehen
Computerspiele spielen   telefonieren
Musik hören   reisen

☺   ☹

telefonieren      ins Restaurant gehen
fotografieren   spazieren gehen
reisen   schwimmen
lachen
Musik machen

Das ist Herr Meier. Er *geht* gern *shoppen* . Er _____
gern _____ . Er _____ gern _____ und er
_____ auch gern _____ .
Er *geht* nicht gern *ins Kino* . Er _____ gern
_____ . Er _____ gern und er _____ gern.

Das ist Frau Meier. Sie _____ gern. Sie _____ gern.
Sie _____ gern, sie _____ gern und sie
gern _____ .
Sie _____ nicht gern _____ . Sie
_____ gern _____ und sie _____ gern.

10b

Antworten Sie.

1. Geht Herr Meier gern ins Restaurant?

   Ja, er _____ .

2. Geht Herr Meier gern tanzen?

   Nein, _____ .

3. Geht Frau Meier gern ins Restaurant?

   Nein, sie _____ .

4. Geht Frau Meier gern schwimmen?

   _____ .

11

Schreiben Sie Fragen.

1. ins Kino – Gehst – gern – du – ? _____

2. gern – Sie – Reisen – ? _____

3. Computerspiele – gern – sie – Spielt – ?

_____

4. auch – Computerspiele – Spielst – gern – du – ?

_____

5. gern – Lacht – er – ? _____

12a 🗎 Seite 26 KB, *5-7*

Ordnen Sie den Dialog.

Was macht ihr heute Abend? (A)

Hallo, wie geht's? (B)

Danke. Tschüss. (C)

Wir gehen tanzen. (D)

Danke, gut. (E)

Wir machen Sport. Und was macht ihr? (F)

Ciao. (G)

Was macht ihr heute Abend? (H)

Ah, schön. Viel Spaß! (I)

12b

Schreiben Sie den Dialog.

A: _____

B: _____

A: _____

B: _____

A: _____

B: _____

A: _____

B: _____

A: _____

13

Ergänzen Sie die passenden Verb-Formen von machen, spielen, gehen, hören.

Wir	*spielen*	Fußball.	Ihr	*hört*	Musik.	Sie _____ Sport.
Wir	_____	tanzen.	Ihr	_____	Sport.	Sie _____ shoppen.
Wir	_____	ins Kino.	Ihr	_____	spazieren.	Sie _____ ins Restaurant.

14a

Ergänzen Sie: wir oder ihr?

A: Hallo Lisa, hallo Tina! Was macht ▢ ?

B: ▢ gehen ins Restaurant. Und was macht ▢ ?

A: ▢ gehen nicht ins Restaurant, ▢ gehen spazieren.

14b

Ergänzen Sie: ich, du oder sie (Pl.)?

C: Hallo Tina! Was machst ▢ ? Gehst ▢ tanzen?

D: Nein, ▢ gehe nicht tanzen. ▢ mache Sport. Und was machst ▢ , Lisa?

C: ▢ gehe shoppen. Und Ron und Anne, was machen ▢ ?

D: ▢ gehen ins Kino.

15

Ergänzen Sie.

Sg.	ich	mache					reise
	▢	machst	du	▢		▢	reist
	▢	▢		▢	er	▢	
	▢	macht	sie	geht		▢	reist
Pl.	wir	▢	wir	gehen		▢	reisen
	ihr	macht			ihr	reist	
	sie	▢	sie	▢		▢	
Sg./Pl.	Sie	machen	Sie	▢		▢	reisen

16a Seite 27 KB, *8-9*

Finden Sie 13 Länder.

P	B	N	A	P	O	L	E	N	C	K	T
E	R	N	G	O	I	C	H	I	N	A	Ü
R	A	S	P	R	N	I	S	C	H	N	R
U	S	A	I	T	A	L	I	E	N	A	K
L	I	R	R	U	S	S	L	A	N	D	E
F	L	H	I	G	E	S	I	S	C	A	I
U	I	S	P	A	N	I	E	N	S	A	Ö
A	E	A	P	L	N	I	N	D	I	E	N
B	N	I	E	D	E	R	L	A	N	D	E

16b

Schreiben Sie die Länder.

Polen _____   _____

_____   _____

_____   _____

_____   _____

_____   _____

_____

17a

Sortieren Sie die Länder: reisen nach / in die …

reisen nach …	reisen in die …
	USA

17b

Ergänzen Sie: nach / in die.

Ich reise _____ Deutschland.

Ich reise _____ Schweiz.

Ich reise _____ Italien.

Ich reise _____ USA.

Ich reise _____ Österreich.

Ich reise _____ Türkei.

18

Wohin reist du? Schreiben Sie.

Reist du nach NACHI ☐☐☐☐☐ ?   – Nein.

Reist du nach CHENGRIELAND ☐☐☐☐☐☐☐☐☐ ? – Nein.

Reist du nach REICHFRANK ☐☐☐☐☐☐☐☐ ?   – Nein.

Was machst du? – ZUBLEIBEICHHAUSE ☐☐☐☐☐☐☐☐☐☐☐☐

19a 📄 Seite 28 + 29 KB, *10-11*

Was ist das?

1. Das ist _eine Uhr._

2. Das ist _____.

3. Das ist _____.

4. Das ist _____.

5. Das sind _____.

19b

Aus Deutschland, Österreich oder der Schweiz? Ergänzen Sie.

1. _Die Uhr_____ kommt aus _der Schweiz._ **CH**

2. _____ kommt aus _____. **D**

3. _____ kommt aus _____. **A**

4. _____ kommt aus _____. **A**

5. _____ kommen aus _____. **D**

20a

Wie heißen die Wörter? Ergänzen Sie.

der Fuß _____   die _____ as _____   _____ ön   der Wei _____

das M _____ er   häss _____   das _____ to   lust _____

lang _____ ig   _____ cker   die Post _____   _____ l

20b

Schreiben Sie 6 Sätze.

Der Wein ist lecker.

_____

21

Ergänzen Sie: ein/e, kein/e, ---

A: Das ist ein Tennisball.
B: Das ist kein Tennisball.
Das ist _____.

A: Das ist ein Buch.
B: Das ist _____ Buch.
Das ist _____.

A: Das ist _____ Flasche Bier.
B: Das ist keine Flasche Bier.
Das ist _____.

A: Das sind _____ Mozartkugeln.
B: Das sind _____ Mozartkugeln.
A: Das sind _____.

A: Und was ist das?
B: Das ist / sind _____.
A: _____? Nein, das ist /
sind doch _____!

22 Seite 30 KB, *12-14*

Schreiben Sie die Zahlen.

1. _____ 2. _____ 3. _____ 4. _____ 5. _____

23 Track 16

Urlaubsziele der Deutschen.
Hören Sie und nummerieren Sie Platz 1-10.

____ Italien
____ Österreich
_1_ Deutschland
____ USA
____ Frankreich
____ Türkei
____ Spanien
____ Griechenland
____ Ägypten
____ Tunesien

24

Was ist das? Verbinden Sie.

acht   zehn
neun   elf

sechs   sieben   zwölf
vier   fünf   dreizehn
drei   vierzehn
zwei   zwanzig   achtzehn   fünfzehn
eins   neunzehn   siebzehn   sechzehn

25

Ergänzen Sie die Zahlenreihen.

1. eins, drei, fünf, _____, neun
2. zwei, vier, _____, _____, zehn
3. drei, sechs, _____, _____
4. fünf, _____, fünfzehn, zwanzig, _____
5. zehn, zwanzig, _____, vierzig, fünfzig, _____,
   _____
6. sieben, vierzehn, _____

26 Track 17

Was hören Sie? Kreuzen Sie an.

1. ☐ 17   ☐ 37
2. ☐ 62   ☐ 26
3. ☐ 22   ☐ 20
4. ☐ 34   ☐ 43
5. ☐ 78   ☐ 87
6. ☐ 10   ☐ 16
7. ☐ 94   ☐ 49
8. ☐ 80   ☐ 18

27a Track 18

Was kostet das? Hören Sie. Schreiben Sie.

1. Tasche _____ €
2. Schokolade _____ €
3. Postkarte _____ CHF
4. Computerspiel _____ CHF
5. Gummibärchen _____ €

27b

Schreiben Sie die Preise in Wörtern.

_____
_____
*einen*_____
_____
_____

28 Seite 31 KB, *15-16*

Schreiben Sie Fragen.

1. ist – das – ? – Was

Was _____

2. Deutsch – ? – Sie – Sprechen

_____

3. das – ? – kostet – Was

_____

4. kommen – Woher – Sie – ?

_____

29

Verbinden Sie Fragen und Antworten.

1. Entschuldigung, sprechen Sie Deutsch?   a. Ja.

2. Was ist das?   b. Louisa Retri.

3. Lustig … oder?   c. 19 Euro.

4. Was kostet das?   d. Ja, aus Bern.

5. Wie heißen Sie?   e. Das ist das Brandenburger Tor.

6. Woher kommen Sie? Aus der Schweiz?   f. Ja, das ist cool …

30

Ergänzen Sie.

1. Wie heißen _____?

   Ich heiße Andrea Lucia.

2. Was ist der Vorname?

   Andrea. Der _____ ist Lucia.

3. _____?

   Ich komme aus der Schweiz.

4. Wo _____?

   Ich wohne in Luzern.

5. Wohin reisen Sie gern?

   Ich _____ nach Marokko und in die Niederlande.

6. _____?

   Ich mache gern Sport und ich gehe gern ins Kino.

7. _____?

   Ja, ich spreche Deutsch und Italienisch.

31

Ergänzen Sie.

in | nach | ins | aus | in die

1. Ich heiße Anke. Ich komme _____ Deutschland. Ich wohne _____ Berlin. Ich reise gern _____ Mexiko und _____ Türkei. Zu Hause gehe ich gern _____ Kino. Und Sie?

in | nach | ins | aus der

2. Ich bin Beat. Ich komme _____ Schweiz. Ich wohne _____ Zürich. Ich reise gern _____ China. In China gehe ich gern _____ Restaurant.

32a

Suchen Sie 8 Sprachen.

D	N	A	R	A	B	I	S	C	H
E	N	G	L	I	S	C	H	N	I
U	S	P	A	N	I	S	C	H	N
T	A	U	S	C	H	E	L	U	D
S	R	U	S	S	I	S	C	H	I
C	H	I	N	E	S	I	S	C	H
H	U	N	N	O	S	T	P	S	A
J	A	P	A	N	I	S	C	H	E

32b

Wo sprechen Menschen …? Schreiben Sie Länder aus dem Lernwortschatz auf Seite 92. Ergänzen Sie weitere Länder.

Arabisch _____ in _____

_____ in _____

_____ in _____

_____ in _____

_____ in _____

_____ in _____

_____ in _____

_____ in _____

33a

Richtig schreiben: Groß oder klein?
Ergänzen Sie.

Ich komme aus der ⬚chweiz. Ich spreche ⬚eutsch, ⬚ranzösisch und ⬚talienisch.
Ich komme aus ⬚hina. Ich spreche ⬚hinesisch und ⬚nglisch und ⬚eutsch.
Ich komme aus ⬚rasilien. Ich spreche ⬚ortugiesisch, ⬚panisch und ⬚eutsch.
Ich komme aus ⬚arokko. Ich spreche ⬚rabisch und ⬚ranzösisch und ⬚eutsch.

 33b

Richtig schreiben: sie oder Sie?

Frau Maier, woher kommen ⬚ie? – Kommen ⬚ie aus Österreich?
Peter und Ursula kommen aus der Schweiz, ⬚ie wohnen in Zürich. Was machen ⬚ie gern? ⬚ie reisen gern!
Wohin? In Österreich sind ⬚ie gern und ⬚ie reisen auch gern nach Australien.

 34

Was machen Sie gern? Was mögen Sie?
Gestalten Sie ein „Wordle".

 35

Das bin ich! Schreiben Sie.

... Spanien		... Deutsch	nach/in die	Tennis spielen
China		Englisch	Indien	fotografieren
den USA		Hindi	Südafrika	ins Kino gehen
...		...	Schweiz	...
			...	

Ich heiße _____ . Ich komme aus _____ .

Ich spreche _____ .

Ich _____ gern _____ .

Track 19

Satzakzent und Melodie. Hören Sie die Beispiele.

Das ist ein Auto. ↘

Sprechen Sie Deutsch? ↗

Das kostet drei Euro. ↘

Was ist das? ↘

Was koStet das? ↗

  Track 20

Hören Sie und markieren Sie den Satzakzent.

- Woher kommst du? · Ich komme aus Österreich.
- Was machst du gern? · Hörst du gern Musik?
- Gehst du gern ins Kino?
- Ich fotografiere gern. · Ich reise gern.
- Wohin reist du? · Ich reise gern nach Spanien.
- Sprichst du Spanisch? · Nein, ich spreche Deutsch.
- Das ist lustig.

**Hören Sie noch einmal und achten sie auf die Satzmelodie:
Fällt sie (↘) oder steigt sie (↗)?**

- Woher kommst du?
- Ich komme aus Österreich.
- Was machst du gern? · Hörst du gern Musik?
- Gehst du gern ins Kino?
- Ich fotografiere gern. · Ich reise gern.
- Wohin reist du?
- Ich reise gern nach Spanien.
- Sprichst du Spanisch?
- Nein, ich spreche Deutsch. · Das ist lustig.

Hören Sie noch einmal und sprechen Sie nach.

  Track 21

**Hören Sie: Fällt die Melodie (↘) oder steigt sie (↗)?
Ergänzen Sie dann die Satzzeichen: . oder ?**

	↘	↗
1. Wie heißen Sie		
2. Wie heißen Sie		
3. Woher kommen Sie		
4. Woher kommen Sie		
5. Was macht sie gern		
6. Was macht sie gern		
7. Sie geht gern shoppen		
8. Sie geht gern shoppen		
9. Was ist das		
10. Was ist das		
11. Das ist eine Tasse		
12. Das ist eine Tasse		

Hören Sie noch einmal und sprechen Sie nach.

  Track 22

**Hören Sie und markieren Sie: freundlich ☺ oder
unfreundlich ☹?**

	☺	☹
1. Wie heißen Sie?		
2. Wie heißen Sie?		
3. Woher kommen Sie?		
4. Woher kommen Sie?		
5. Was macht sie gern?		
6. Was macht sie gern?		
7. Was ist das?		
8. Was ist das?		

  Track 23

**Hören Sie noch einmal die freundlichen Fragen ☺ und
sprechen Sie nach.**

1 Bildwörterbuch

das Ei

03 .... Essen und Zeit

Nomen

das Essen, -
die Zeit (nur Sg.)
das Brot, -e
das Weißbrot, -e
das Schwarzbrot, -e
das Brötchen, -
die Brezel, -n
der Bäcker, - / die Bäckerin, -nen
der Kunde, -n / die Kundin, -nen
der, die Deutsche, -n
das Kilogramm
das Prozent, -e
das Frühstück, -e
das Ei, -er
die Butter (nur Sg.)
der Schinken, -
der Käse (nur Sg.)

die Marmelade, -n
der Honig (nur Sg.)
die Milch (nur Sg.)
das Butterbrot, -e
das Abendbrot (nur Sg.)
die Scheibe, -n Brot
der Korb, -ö-e
der Fisch, -e
der Imbissstand, -ä-e
die Speise, -n
das Getränk, -e
der Hamburger, -
die Pizza, -s / -en
die Wurst, -ü-e
die Bratwurst, -ü-e
der Senf (nur Sg.)
die Pommes frites (nur Pl.)
der / das Ketschup (nur Sg.)

die Majonäse, -n
der Salat, -e
das Hähnchen, -
das Wasser (nur Sg.)
das Mineralwasser (nur Sg.)
der Saft, -ä-e
der Apfelsaft, -ä-e
die Cola, -s
die Limonade, -n
der Hunger (nur Sg.)
der Durst (nur Sg.)
das Dessert, -s
der Kuchen, -
die Torte, -n
das Eis (nur Sg.)
der Apfel, Ä-
die Birne, -n

2 Assoziationen

früh

der Kaffee

das Frühstück

die Butter

3 Beispiele

süß: *der Honig, die Torte, ...*

weich:

hart:

mager:

fett:

gesund: *die Milch, ...*

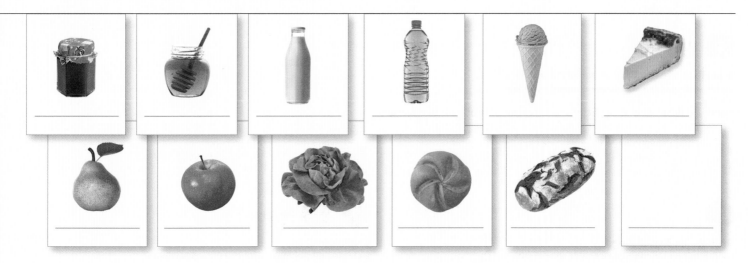

die Banane, -n	**Adjektive**	**Adverbien**	**Kleine Wörter**
das Lebensmittel, -	frisch	morgens	zirka
	alt	mittags	sehr
Verben	viel	abends	man
essen, isst	wenig	immer	einmal / zweimal / …
trinken	weich	oft	pro Person / Monat / Jahr
bestellen	hart	selten	jeden Tag
bezahlen	warm	nie	
suchen	kalt	zwischendurch	**Wendungen**
finden	mager		Was darf es sein?
nehmen, nimmt	fett		Ich weiß nicht.
schmecken	salzig		Was für ein Brot?
mögen, mag	süß		Was macht das?
haben, hat	gesund		Ich habe Hunger.
	ungesund		Ich habe Durst.
	typisch		
	schnell		

4

Fragen und Antworten

1. Was darf es sein?

   _____ .

2. _____ ?

   Das macht 13,20 Euro.

3. Hast du Hunger?

   Ja, ich _____ und ich habe auch _____ .

4. _____ ?

   Ein Toastbrot bitte.

5

Rätsel

1. Es ist weich und warm: das ▨▨▨▨▨▨▨▨ .

2. Es ist süß: die ▨▨▨▨▨▨▨ oder ▨▨▨▨▨▨▨ .

3. Es ist frisch: ▨▨▨▨▨▨▨▨ .

6

Gegensätze

warm ↔ kalt
gesund ↔ ungesund
viel ↔ wenig
…

7 📄 *Seite 36 KB,* **1**

Schreiben Sie die Wörter mit Artikel.

Weiß | Bröt | Bre | Schwarz | ~~brot~~ | brot | zel | chen

das Weißbrot, _____

8a

Ordnen Sie den Dialog.

1. Guten Tag. Was darf es sein?

a. Bitte sehr. 3 Euro 40.

2. 3 Euro 40, bitte.

b. 5 Brötchen bitte.

3. Danke. Auf Wiedersehen.

c. Gut. Was kosten die?

4. Gern, die sind ganz frisch.

d. Auf Wiedersehen.

8b

Ergänzen Sie den Dialog von 8a.

Guten Tag. Was darf es sein?

_____

Gern, die sind ganz frisch.

_____

3 Euro 40, bitte.

_____

Danke. Auf Wiedersehen.

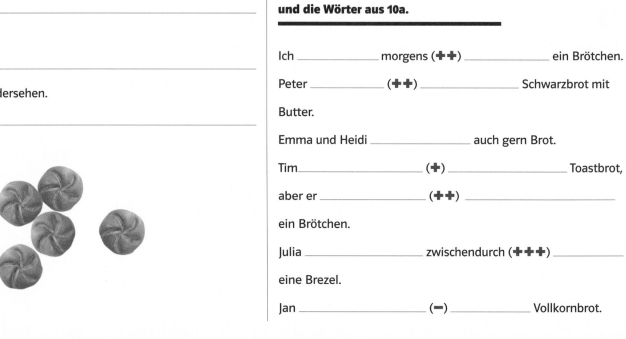

9 📄 *Seite 37 KB,* **2-4**

Ergänzen Sie.

ich | du | er | sie | wir | ihr | sie (Pl.)

esse | isst | esst | essen

10a 📄 *Seite 37 KB,* **4**

Ordnen Sie zu:
oft – selten – nie – immer.

+++ _____

++ _____

+ _____

− _____

10b

**Ergänzen Sie die richtige Form von essen
und die Wörter aus 10a.**

Ich _____ morgens (++) _____ ein Brötchen.

Peter _____ (++) _____ Schwarzbrot mit

Butter.

Emma und Heidi _____ auch gern Brot.

Tim_____ (+) _____ Toastbrot,

aber er _____ (++) _____

ein Brötchen.

Julia _____ zwischendurch (+++) _____

eine Brezel.

Jan _____ (−) _____ Vollkornbrot.

11 *Seite 38 KB, 5*

Finden Sie 8 Wörter und schreiben Sie sie mit Artikel.

BMILCHOIMARMELADEVLEOHHONIGKDBROTÖDOSCHINKENDKEIKKÄSEDFOBUTTERÖ

die _____ , d_____ , d_____ , d_____ ,

d_____ , d_____ , d_____ , d_____ .

12

Finden Sie 6 Adjektive und schreiben Sie sie.

F	R	I	S	C	H	K	C
N	Y	G	E	S	U	N	D
D	J	I	W	E	I	C	H
F	E	T	T	S	B	H	H
M	A	G	E	R	R	I	G
R	Z	S	Ü	ß	T	N	K

_____

_____

_____

_____

_____

_____

13a

Kreuzen Sie an: Was passt? Es gibt mehrere Möglichkeiten.

	essen	trinken	süß	salzig	hart	weich	gesund
der Käse	X				X	X	
die Marmelade							
der Tee							
die Milch							
der Schinken							
das Ei							
die Butter							
die Banane							

13b

Schreiben Sie Sätze.

Das ist der Käse. Er ist salzig.

Das ist die Marmelade. Sie ist _____   _____

_____   _____

Seite 39 KB, 7-8

Welches Wort passt wo? Ordnen Sie zu.

das Salatbrot | der Brotsalat | der Brotkorb | das Butterbrot

1. _____ 2. _____ 3. _____ 4. _____

14b

Schreiben Sie.

1. der Brotsalat: *das Brot* + *der Salat*
2. das Salatbrot: _____ + _____
3. das Butterbrot: _____ + _____
4. der Brotkorb: _____ + _____

5. das Frühstücksbrot: _____ + _____
6. die Brotzeit: _____ + _____
7. das Pausenbrot: *die Pause* + _____
8. die Mittagspause: *der Mittag* + _____

  Seite 39 KB, 7

Lesen Sie den Text im Kursbuch noch einmal und suchen Sie die Wörter für das Rätsel.

Ein _____ (B6) ist

eine _____ (A9) Brot mit Butter.

Man isst es oft mit _____ (E8)

oder Käse oder _____ (H10) oder…

Ein Butterbrot isst man als Frühstücksbrot, als

_____ (B2) bei der Arbeit,

als _____ (B4) oder einfach zwischendurch.

	A	B	C	D	E	F	G	H	I	J	K	L
1												
2												
3												
4												
5												
6												
7												
8												
9												
10												

15b

Ordnen Sie zu: morgens, mittags, abends, zwischendurch.

16a *Seite 40 KB, 9a*

Markieren Sie 11 Speisen und Getränke.

S	U	S	H	I	P	O	U	B	A
H	A	M	B	U	R	G	E	R	P
P	O	M	M	E	S	L	B	A	F
I	J	B	A	K	K	Ö	I	T	E
Z	Y	P	S	B	C	I	E	W	L
Z	R	W	A	S	S	E	R	U	S
A	M	L	L	S	N	D	N	R	A
C	O	L	A	P	L	Ä	C	S	F
B	Ö	A	T	M	U	R	S	T	T
F	K	L	I	M	O	N	A	D	E

16b

Notieren Sie alle Speisen und Getränke mit Artikel.

das Wasser, _____

_____

_____

_____

_____

---

17 *Seite 40 KB, 9*

Ergänzen Sie die Formen von mögen.

1. Ich _____ Hamburger. Und was _____ du?

_____ Jan auch Pizza?

2. Wir _____ Döner sehr gern. Und ihr?

Was _____ ihr? Alle _____ Pommes.

3. _____ Sie auch Fastfood?

Ja, ich _____ Döner, Bratwurst und so.

Und meine Frau _____ sehr gern Sushi.

Wir beide _____ auch Pizza.

18 *Seite 41 KB, 10a*

Lesen Sie die Statistik über Fastfood im Kursbuch noch einmal. Ergänzen Sie.

mögen (2x) | essen gern (2x) | essen sehr gern (2x)

Die Frauen:

Sie _____ Pizza.

19 Prozent _____ Döner.

8 Prozent _____ Currywurst.

Die Männer:

Sie _____ Döner.

22 Prozent _____ Burger.

4 Prozent _____ Pommes.

19 *Seite 41 KB, 10b*

Ordnen Sie die Sätze.

1. Lena | morgens | isst | Hamburger. | nie

_____

2. Mittags | Lena | isst | trinkt | und | oft | eine Cola. | Pommes

_____

3. Sie | ein Pausenbrot. | jeden Tag | isst

_____

4. Abends | einmal pro Monat | sie | trinkt | ein Bier.

_____

20 📄 *Seite 42 KB, 11*

Was ist das? Was bezahlen Sie?

1. Das ist *eine Bratwurst* .

2. Das ist _____ .

3. Das _____ .

4. Das _____ .

5. Das _____ .

2.

1.

5.

4.

3.

a. Ich bezahle *eine Bratwurst*.

b. Ich bezahle _____ .

c. Ich bezahle _____ .

d. Ich _____ .

e. Ich _____ .

21

Ergänzen Sie die richtige Verbform von *haben* und *einen, ein, eine*.

1. Was ▨▨▨ du? – Ich ▨▨▨ ▨▨▨ Hamburger und ▨▨▨ Cola.

2. Und ihr? Was ▨▨▨ ihr? – Wir ▨▨▨ Pizza, ▨▨▨ Salat, ▨▨▨ Wasser und ▨▨▨ Bier.

3. Was ▨▨▨ Sie? – Ich ▨▨▨ Sushi und ▨▨▨ Salat, Herr Müller ▨▨▨ Hähnchen und ▨▨▨ Apfelsaft.

22

Was möchten Sie?
Verwenden Sie den Akkusativ.

1. *Einen* Hamburger? – Nein, *keinen* Hamburger.

2. ▨▨▨ Salat? – Salat? Nein, danke, ▨▨▨ Salat.

3. ▨▨▨ Cola? – Nein, ▨▨▨ Cola, Cola mag ich nicht.

4. ▨▨▨ Bier? – Nein, danke, ▨▨▨ Bier.

Ja, was darf es dann sein? – Keine Ahnung.

23 📄 *Seite 42 KB, 12* 🔊 *Track 24*

Hören Sie noch einmal den Dialog am Imbissstand.
Ordnen Sie den Dialog.

[1] Guten Tag. Was darf es sein?   ☐ Bratwurst oder Currywurst?

☐ Und für Sie?   ☐ Nein, keine Currywurst. Eine Bratwurst bitte.

Mit Senf.   ☐ Okay, mach ich fertig.   ☐ Eine Cola bitte.

☐ Die Pommes mit Ketschup oder Majo?   ☐ Und zu trinken?

☐ Einen Hamburger und ein Bier.   ☐ Mit Ketschup bitte.

☐ Pommes, bitte, und eine Wurst. Schnell bitte!

24

Ergänzen Sie.

essen | isst | isst | mag | trinkt | trinkt | haben | haben | eine | eine | ein | einen | keine | keine

Mittags _____ Tim und Anna oft _____ Zeit. Sie gehen zum Imbissstand. Er _____ oft _____ Bratwurst.

Und er _____ gern _____ Bier. Anna _____ _____ Wurst. Sie _____ oft _____ Salat und

_____ _____ Cola. Aber heute _____ sie Zeit. Sie gehen in eine Sushibar und _____ Sushi.

25a *Seite 43 KB, 13*

Erfinden Sie 5 Desserts.
Notieren Sie die Wörter mit Artikel.

Vanille	der Kuchen	*die Apfeltorte,* _____
Apfel	die Torte	_____
Schokoladen	das Eis	_____
Kaffee	das Fondue	_____
Käse	die Soße	_____

25b

Ergänzen Sie den Text mit den Wörtern aus 25a.

Kuchen, Torten oder Eis? Sie suchen ein Dessert? Dann nehmen Sie die _Apfeltorte_ oder _____ .

Auch _____ schmeckt sehr lecker. Wir essen _____ und _____ sehr gern.

Mögen Sie Kaffee? Dann nehmen Sie _____ !

25c

Markieren Sie die besonderen Formen.

 26a *Seite 43 KB, 14*

Ergänzen Sie und markieren Sie besondere Formen.

	essen	**nehmen**	**trinken**
ich	esse		
du		nimmst	
er / sie / es			trinkt
wir			
ihr			
sie	essen		
Sie			

 26b

Was passt? Ergänzen Sie mit Verben aus der Tabelle.

1. Was _____ du? Tee oder Kaffee?
2. Was _____ Sie? Den Apfelkuchen oder die Sachertorte?
3. Und was _____ du? Den Käsekuchen oder das Eis?
4. Wir _____ das Schokoladenfondue aus der Schweiz, und ihr?

 26c

Lesen Sie die Antworten und wählen Sie den richtigen Artikel.

1. Wir nehmen der / den Apfelstrudel und die Buchteln aus Österreich.

2. Ich esse der / den Apfelkuchen.

3. Der / den Käsekuchen ist lecker. Ich nehme der / den Käsekuchen.

4. Ich trinke der / den Vanilletee.

 26d

Welche Antwort passt zu welcher Frage?
Schreiben Sie die Minidialoge.

_____

_____

_____

_____

27a

Richtig schreiben. Ergänzen Sie ss, ll, mm, tt.

Ich e___e gern Vo___kornbrot. Möchtest du Bu___er?

Bi___e ein Mineralwa___er. Und was ni___st du zum

De___ert?

27b

🔊 Track 25

Hören Sie und ergänzen Sie.

_____ ein Dessert?

Nein, danke, aber _____.

Isst du _____? Ja, _____.

28

Ergänzen Sie Ihr „Wortbild".

KäseKäse KäseKäse KäseKäse
WurstWurstWurstWurstWurstWurst
ButterButterButterButterButterButter
BrotBrotBrotBrotBrot

ApfelApfel
elApfelApfelApfel
pfelApfelApfelApfelApfel
elApfelApfelApfelApfel
lApfelApfelApfelApfelA
felApfelApfelApfelApfel
elApfelApfelApfelApfel
pfelApfelApfelWurmApfel
mApfelApfelApfelApfel
elApfelApfelApfel

29

Das esse ich. Schreiben Sie.

immer	essen	Speisen:
oft	trinken	Hamburger, Pizza, Burger, ...
selten	nehmen	Getränke:
nie		Mineralwasser, Cola, Bier, ...

morgens
mittags
abends
zwischendurch

Morgens esse ich _____

und ich trinke _____

_____ esse ich oft _____ und selten _____

Ich trinke _____ oder _____

Zwischendurch habe ich _____ Zeit und esse _____

_____ habe ich viel / wenig Zeit. Ich _____

30a *Track 26*

Wortakzent. Hören Sie die Beispiele.

die **Br<u>a</u>t**wurst

der **W<u>u</u>rst**salat

 30b *Track 27*

Hören Sie und markieren Sie den Wortakzent (lang _ , kurz .)

- das Sch<u>i</u>nkenbrot – das Br<u>o</u>tmesser
- das Butterbrot – der Brotkorb
- die Schokoladenmilch – der Milchkaffee
- die Bratwurst – der Wurstsalat
- das Frühstücksei – das Eibrot
- ein Honigbrötchen – ein Marmeladenbrötchen
- ein Butterbrot – ein Schinkenbrot
- ein Apfelsaft – ein Birnensaft
- das Vollkornbrot – das Bauernbrot
- der Käsekuchen – der Apfelkuchen

 30c

Hören Sie noch einmal und sprechen Sie nach.
Klopfen Sie den Wortakzent.

 30d *Track 28*

Hören Sie und sprechen Sie nach.
Achten Sie auf den Wortakzent.

- Ich nehme ein B<u>u</u>tterbrötchen.
- Ich nehme ein B<u>u</u>tterbrötchen und ein Sch<u>i</u>nkenbrot.
- Ich nehme ein B<u>u</u>tterbrötchen, ein Sch<u>i</u>nkenbrot und ein Miner<u>a</u>lwasser.
- Ich nehme ein B<u>u</u>tterbrötchen, ein Sch<u>i</u>nkenbrot, ein Miner<u>a</u>lwasser und eine Schokol<u>a</u>denmilch.
- Ich nehme ein B<u>u</u>tterbrötchen, ein Sch<u>i</u>nkenbrot, ein Miner<u>a</u>lwasser, eine Schokol<u>a</u>denmilch … und Van<u>i</u>lleeis. Mhm.

 31a *Track 29*

Kurze und lange E-Laute. Hören Sie die Beispiele.

nehmen

<u>e</u>ssen

 31b *Track 30*

E-Laut – kurz (.) oder lang (_)? Hören Sie und markieren Sie.

die Br<u>e</u>zel – der B<u>ä</u>cker | der Tee – der Senf |

nehmen – essen | zehn – sechs | sehr – lecker

31c

Hören Sie noch einmal und sprechen Sie nach.

 31d *Track 31*

Hören Sie und sprechen Sie emotional nach.
Achten Sie auf die E-Laute.

Ich <u>e</u>sse Br<u>e</u>zeln. Das schm<u>e</u>ckt! • Ich n<u>eh</u>me T<u>ee</u>. Sehr g<u>e</u>rn! •
Ich n<u>eh</u>me s<u>e</u>chs K<u>ä</u>sebrötchen. Sehr l<u>e</u>cker! •
Ich n<u>eh</u>me Kaff<u>ee</u> und die Birne Hel<u>e</u>ne. •
Ich n<u>eh</u>me S<u>e</u>nf. L<u>e</u>cker, l<u>e</u>cker!

 32a

Ausgang 1, 2 oder 3? Verbinden Sie alle Wörter mit langem E/e.

nehmen →	sehr	elf
Messer	lesen	gehen
lecker	Bäcker	Tee
Senf	Brezel	zehn
sechs	er	Heft
1	2	3

 32b *Track 32*

Hören Sie die Lösung und vergleichen Sie.

 32c

Hören Sie noch einmal und sprechen Sie nach.

1
Bildwörterbuch

schlafen

_____

_____

_____

04 .... Wochentage

Nomen
das Jahr, -e
der Monat, -e
die Woche, -n
der Tag, -e
der Wochentag, -e
der Montag, -e
der Dienstag, -e
der Mittwoch, -e
der Donnerstag, -e
der Freitag, -e
der Samstag, -e
der Sonntag, -e
das Wochenende, -n
der Mensch, -en
der Beruf, -e
der Student, -en /
die Studentin, -nen

der Praktikant, -en /
die Praktikantin, -nen
der IT-Spezialist, -en /
die IT-Spezialistin, -nen
der Hotelfachmann, -ä-er, /
die Hotelfachfrau, -en
der Taxifahrer, - /
die Taxifahrerin, -nen
das Hotel, -s
die Uni(versität), -en
das Krankenhaus, -ä-er
das Praktikum, die Praktika
der Kindergarten, -ä-
die Firma, die Firmen
das Büro, -s
die Mittagspause, -n
der Moment, -e
das Bett, -en

der Stress (nur Sg.)
der Ruhetag, -e
der Supermarkt, -ä-e
das Geschäft, -e
die Party, -s
der Freund, -e /
die Freundin, -nen
der Krimi, -s
der Bus, -se
die Haltestelle, -n
der Fahrplan, -ä-e

Verben
schlafen, schläft
sehen, sieht
fernsehen, sieht fern
arbeiten
lesen, liest

2
Assoziationen

der Ruhetag

der Sonntag

3
Beispiele

der Student	die Studentin

Auto fahren, fährt Auto	einkaufen, kauft ein	pünktlich	**Wendungen**
sprechen, spricht	zu haben, hat zu	unpünktlich	Wie lange?
im Internet surfen,	wegwerfen, wirft weg	normal	Wie viele Stunden?
surft im Internet	anrufen, ruft an	anders	Wie spät ist es?
küssen	müssen, muss		Wie viel Uhr ist es?
studieren	Stress haben, hat Stress	**Adverbien**	Jeden Tag das Gleiche.
jobben	lernen	vormittags	Moment mal!
frei haben, hat frei	kommen	nachmittags	Das geht leider nicht.
von Beruf sein,	ankommen, kommt an	nachts	Es ist Viertel nach / vor …
ist von Beruf		montags, dienstags, …	
beruflich machen	**Adjektive**	heute	**Kleine Wörter**
aufwachen, wacht auf	arbeitslos	manchmal	um … Uhr
aufstehen, steht auf	toll		am Sonntag / …
losfahren, fährt los	wundervoll	**Fragewörter**	von … bis …
auspacken, packt aus	laut	Wann?	leider
anfangen, fängt an	leise	Warum?	nichts
scheinen	früh	Wie viel?	alles
wollen, will	spät		

4

Im Kontext
___

Ein Jahr hat 52 _____, 12 _____, 365 _____.

Ein Tag hat 24 _____, eine Stunde hat 60 _____.

5

Gegensätze
___

spät ↔ _____

pünktlich ↔ _____

leise ↔ _____

6

Fragen und Antworten
___

1. _____ ?

   Ich bin Student.

2. _____ ?

   Ich arbeite von Montag bis Freitag.

3. _____ ?

   Es ist halb neun.

4. _____ ?

   Der Bus kommt um Viertel vor neun.

Seite 48 KB, 1

Wie heißen die Verben? Schreiben Sie.

_____ | _____ | _____ | _____ | _____ | _____ | _____ | _____

küs | ren | hen | schla | sen | fen | Au | fern | to | fah | sen | Sport | chen | le | se | es | spre | ma | chen | sen

8   *Seite 49 KB, 2*

Wie heißen die Wochentage? Ergänzen Sie.

M▢nt▢g, D▢nst▢g, M▢ttw▢ch, D▢nn▢rst▢g, Fr▢▢t▢g, S▢mst▢g, S▢nnt▢g

9   *Seite 49 KB, 2-3*

Ergänzen Sie und markieren Sie besondere Verbformen.

	lesen	sprechen	schlafen	fahren
ich	lese			
du			schläfst	
er / sie / es		spricht		
wir		sprechen		
ihr			schlaft	
sie				fahren
Sie	lesen			

10a

Was machen die Personen oft? Ergänzen Sie.

1. Daniel *isst* oft im Restaurant.

2. Lina _____ nicht oft mit dem Auto.

3. Paul _____ oft Bücher und Zeitungen.

4. Anna _____ oft Deutsch mit Menschen aus Deutschland, Österreich und der Schweiz.

5. Max _____ nicht oft fern.

10b

Schreiben Sie die Fragen und Antworten.

1. Daniel, isst du oft im Restaurant?

Ja, *ich esse* _____.

2. Lina, _____?

Nein, _____.

3. Paul, _____?

_____.

4. Anna, _____?

_____.

5. Max, _____?

_____.

11a *Seite 50 KB, 4*

Suchen Sie 10 Wörter zum Thema „Beruf".

S	T	U	D	I	E	R	E	N	X	A	P
T	Z	M	O	F	W	P	D	I	E	S	B
U	G	A	R	B	E	I	T	E	N	H	L
D	F	Y	B	Ü	A	Z	X	Ä	J	R	Q
E	U	H	P	R	A	K	T	I	K	U	M
N	K	G	L	O	S	Z	B	T	P	Ö	B
T	S	J	D	K	A	F	L	E	V	J	S
S	U	A	R	B	E	I	T	S	L	O	S
N	T	F	U	E	S	R	O	K	G	B	H
Z	R	Y	B	R	N	M	L	I	F	B	S
G	S	A	W	U	E	A	K	P	U	E	T
B	E	R	U	F	L	I	C	H	B	N	V

 11b

♂ oder ♀? **Wählen Sie die richtige Berufsbezeichnung.**

Student / Studentin | Hotelfachmann / Hotelfachfrau |
IT-Spezialist / IT-Spezialistin | Praktikant / Praktikantin

Sven Bode: _____   Aylin Torun: _____

Tom Broschek: _____   Jana Mahl: _____

12a

Ergänzen Sie.

am | von | bis | abends | mittwochs | Dienstag | frei |
haben | mittags

1. Ich arbeite von morgens bis _____.
2. Arbeitest du immer _____?
3. Anna arbeitet _____ Wochenende.
4. Wir arbeiten _____ nicht. Wir essen und machen
   Pause.
5. Arbeitet ihr am _____?
6. Sie arbeiten _____ morgens _____
   abends.
7. Wann _____ Sie _____?

12b

Schreiben Sie die Endungen.

du arbeit [ ]

er / sie arbeit [ ]

ihr arbeit [ ]

13

Fragen und Antworten. Verbinden Sie.

1. Was sind Sie von Beruf?	a. Am Wochenende und abends.
2. Wie lange arbeiten Sie?	b. Von morgens bis nachmittags.
3. Wann machen Sie Pause?	c. Ich bin Bäcker.
4. Wann haben Sie frei?	d. Um 12.00 Uhr.

 14

Was passt? Ergänzen Sie: um, am, von, bis.

Andrea macht ein Praktikum im Büro.

1. Sie geht jeden Tag [ ] 9 Uhr ins Büro.
2. Sie arbeitet [ ] Montag [ ] Freitag.
3. Sie arbeitet [ ] 9 Uhr [ ] 17 Uhr.
4. [ ] Freitag arbeitet sie nur [ ] 16 Uhr.
5. Sie macht [ ] 12 Uhr Mittagspause.
6. Sie hat [ ] Wochenende frei.

15a 📄 *Seite 51 KB, 5-7*

Schreiben Sie die Verben mit Vorsilben.

aus	fangen	*anfangen*
auf	packen	_____
auf	kommen	_____
an	stehen	_____
an	wachen	_____

15b

Ergänzen Sie die Vorsilben und schreiben Sie die Sätze.

an fangen: Der Film _____ *fängt* _____ in zwanzig Minuten _*an*_ .

_____ packen: Ich _____ die Tasche _____ .

_____ kommen: Anna _____ heute _____ .

_____ stehen: Er _____ immer früh _____ .

_____ wachen: Am Wochenende _____ wir spät _____ .

16

Nichts da!? Ergänzen Sie die Verben.

Marina _____ (schlafen). Der Wecker klingelt.

Sie _____ (aufstehen). Sie hat Hunger.

Nichts da! Kein Essen!

Da _____ Käse (sein).

Er _____ aus der Schweiz (kommen).

Sie _____ den Käse _____ (auspacken).

Sie _____ den Käse (essen). Wundervoll!

Er ist ganz weich.

17a

Was macht Frau K.? Schreiben Sie die Fragen.

1. stehen | wann | Sie | auf | ?

_____

2. der Arbeitstag | wann | an | fängt | ?

_____

3. Sie | wie lange | arbeiten | ?

_____

4. was | Sie | abends | machen | ?

_____

5. Mittagspause | wann | Sie | machen | ?

_____

17b

Frau K. erzählt. Schreiben Sie zu jedem Verb einen Satz.

~~aufwachen~~ | aufstehen | ankommen | anfangen | arbeiten | Sport machen | lesen | fernsehen | essen

Ich	wache	um 7 Uhr		auf.
Jeden Tag		ich		

18 📄 *Seite 52-53 KB, 8-10*

Laut oder leise? Kreuzen Sie an.

	laut	leise		laut	leise
Musik machen	☐	☐	die Kirchenglocken	☐	☐
Kaffee trinken	☐	☐	der Wecker klingelt	☐	☐
Zeitung lesen	☐	☐	Flaschen wegwerfen	☐	☐

19

Was schreibt Eric? Ergänzen Sie.

laut | man | schlafen | abends | spazieren | willst | die Geschäfte | wegwerfen | Ruhetag

Hallo, ich heiße Eric. Ich komme aus den USA. Ich studiere in Heidelberg.

Alles wunderbar. Nur der Sonntag nervt. Warum? Sonntag ist _____.

Du willst bis 10 Uhr _____? Das geht leider nicht. Die Kirchenglocken sind sehr laut.

Coole Party am Samstag. Du willst Flaschen _____? Das geht leider nicht? Das ist zu

_____.

Du _____ Musik machen? Aber leise. Heute ist Sonntag.

Du willst einkaufen? Das geht leider nicht. _____ haben zu. Und wo kauft _____

die Sonntagszeitung?

Aber der Sonntag ist auch schön.

„Hallo Eric!" Anna ruft an. „Willst du _____ gehen? Und willst du Kaffee trinken?

Und willst du _____ den Krimi im Fernsehen sehen?" Sonntag: Zeit für Freunde.

20

Schreiben Sie Fragen.

1. Ich kaufe heute im Supermarkt ein.	_Willst_ du auch _im Supermarkt einkaufen?_ _____?
2. Ich gehe spazieren.	_____ du auch _____?
3. Wir trinken am Nachmittag Kaffee.	_____ Sie auch _____?
4. Am Sonntag schlafe ich immer lange.	_____ ihr auch _____?
5. Jeden Tag lese ich die Zeitung.	_____ er auch _____?
6. Ich rufe Anna an.	_____ du Anna auch _____?

21

Schreiben Sie Sätze.

1. er / wollen / trinken / morgens / Kaffee — _Er will morgens Kaffee trinken. – Morgens will er Kaffee trinken._

2. sie / wollen / sehen / am Sonntag / einen Krimi — _____

3. wir / wollen / einkaufen / am Sonntag — _____

4. ich / wollen / lesen / eine Zeitung — _____

5. ihr / wollen / sehen / im Fernsehen / Fußball — _____

22 *Seite 54 KB, 11-12*

Ergänzen Sie und markieren Sie gleiche Verbformen.

	wollen	**müssen**
ich		
du		musst
er / sie / es	will	
wir		
ihr		müsst
sie	wollen	
Sie		

Ich will schlafen.
Ich muss aufstehen.

23

Ergänzen Sie die Formen von *wollen* und *müssen*.

1. Er <u>will</u> spazieren gehen, aber er <u>muss</u> arbeiten.
2. Wir _____ essen, aber wir _____ noch einkaufen gehen.
3. Ihr _____ tanzen gehen, aber ihr _____ lernen.
4. Du _____ fernsehen, aber du _____ studieren.
5. Ich _____ Musik machen, aber du _____ schlafen.

24

Ergänzen Sie.

~~aufstehen müssen~~ | arbeiten müssen | studieren wollen | essen wollen | machen müssen | lernen müssen

1. Ich <u>muss</u> jeden Tag früh <u>aufstehen</u> .
2. Du _____ immer für den Deutschkurs _____ .
3. Er _____ im Restaurant _____ .
4. Wir _____ Hausaufgaben _____ .
5. Ihr _____ von morgens bis abends _____ .
6. Sie _____ an der Uni _____ .

25a *Track 33*

Was sagt der Mann? Hören Sie und kreuzen Sie an.

	Das sagt er.	Das sagt er nicht.
1. Ich will ins Kino gehen.	☐	☐
2. Ich muss heute noch arbeiten.	☐	☐
3. Ich will Sushi essen.	☐	☐
4. Ich will zum Imbissstand gehen.	☐	☐
5. Ich will nicht tanzen gehen.	☐	☐
6. Ich will früh aufstehen.	☐	☐

25b

Sonntagabend. Schreiben Sie Antworten.

1. Willst du fernsehen?

   Nein, ich will nicht _____ .

2. Musst du noch arbeiten?

   Nein, _____ .

3. Willst du lesen?

   Nein, _____ .

4. Musst du telefonieren?

   Nein, _____ .

5. Was musst du denn?

   _____ .

26 *Seite 55 KB, 13-15*

Welches Wort passt nicht?

1. sonntags – dienstags – am Mittwoch – freitags
2. pünktlich – leise – unpünktlich – spät
3. Fahrplan – Haltestelle – Taxifahrer – Bus
4. halb zwölf – Viertel vor drei – Viertel nach vier – zwölf Uhr fünfundvierzig

27a *Track 34*

Hören und notieren Sie die Uhrzeiten.

1. _____

2. _____

3. _____

4. _____

5. _____

27b

Hören Sie noch einmal. Kontrollieren Sie die Uhrzeiten und zeichnen Sie sie ein.

1.   2.   3.

4.   5.

27c *Track 35*

Hören Sie und kreuzen Sie an.

	vormittags	nachmittags	abends	nachts
1.				
2.				
3.				
4.				
5.				
6.				

28a

Wann? Wie viel Uhr? Ergänzen Sie die Fragen.

1. _____ kommt der Bus?

2. _____ ist es?

3. _____ gehst du los?

4. Um _____ fängt der Krimi an?

28b

Schreiben Sie Fragen und Antworten.

1. wann / anfangen / Kino // 20.45 Uhr

   Wann fängt das Kino an? Um Viertel vor neun.

2. wann / losfahren / Bus / ? // 17.20 Uhr

   _____

3. wann / müssen / arbeiten / du / morgen / ? // 8.30 Uhr

   _____

4. wann / wollen / essen / du / ? // 19.15 Uhr

   _____

5. wie / sein / es / spät / ? // 20.05 Uhr

   _____

6. wie / Uhr / müssen / viel / um / du / aufstehen / ? // 6.45 Uhr

   _____

29

Richtig schreiben: groß oder klein?

DONNERSTAG | AM WOCHENENDE | DIENSTAGS | DONNERSTAGS | AM MITTWOCH | SAMSTAGS | AM SAMSTAG | MONTAG

Donnerstag, am _____

_____

30

Schreiben Sie ein Sonntagsgedicht.
Fantasiewörter sind erlaubt!

Sonntag

Ich muss, du musst, er muss,

sie muss, wir müssen, ihr müsst,

sie müssen.

Ich muss nicht, du musst nicht,

ihr müsst nicht

und sie müssen auch nicht.

Warum?

Heute ist Sonntag.

Ach so!

Sonntag ist Fußball-Tag

Sonntag ist Bett-Tag

Sonntag ist Spaß-Tag.

31

Das mache ich. Schreiben Sie.

von Beruf sein	von ... bis ...	Bücher lesen
Student / Studentin sein	um ...	fernsehen
ein Praktikum machen	am ...	im Internet surfen
arbeiten / lernen von ... bis ...	jeden Tag	Sport machen / Musik machen
frei haben / Stress haben	oft / manchmal	ins Kino gehen / tanzen gehen
...	früh / spät	...

aufwachen
aufstehen
einkaufen
essen
schlafen
...

Ich bin _____ . Ich muss jeden Tag _____

_____

_____

Am Wochenende _____

_____

_____

32a Track 36

Wortakzent und Satzakzent: Hören Sie die Beispiele.

LOSfahren.

Ich fahre morgens **los**.

Ich fahre **los**.

32b Track 37

Hören Sie und markieren Sie den Wortakzent.

aufwachen | aufstehen | losfahren | auspacken |

anfangen | einkaufen | anrufen | fernsehen

32c

Hören Sie noch einmal und sprechen Sie nach.

32d Track 38

Hören Sie und achten Sie auf den Satzakzent.

1. Hm-hm-hm　　　　　　　　Einkaufen.
2. Hm-hm　　　　　　　　　　Kauft ein.
3. Hm-hm-hm　　　　　　　　Sie kauft ein.
4. Hm-hm-hm-hm　　　　　　Wir kaufen ein.
5. Hm-hm-hm-hm-hm　　　　Sie kauft heute ein.
6. Hm-hm-hm-hm-hm-hm　　Wir kaufen morgen ein.

32e

Hören Sie noch einmal und brummen und sprechen Sie nach.

33a Track 39

Satzakzent: Hören Sie und markieren Sie den Satzakzent.

1. Er steht auf. | Er steht schon auf. | Er steht pünktlich um 8 auf.

2. Wir fangen an. | Wir fangen heute an. |

   Wir fangen heute um 9 an.

3. Ich kaufe ein. | Ich kaufe morgen ein. |

   Ich kaufe morgen im Supermarkt ein.

4. Seht ihr fern? | Seht ihr immer fern? |

   Seht ihr immer abends fern?

5. Fährst du los? | Fährst du heute los? |

   Fährst du heute pünktlich los?

6. Rufst du an? | Rufst du abends an? |

   Rufst du abends immer an?

33b

Hören Sie noch einmal und sprechen Sie nach.

33c Track 40

Alles sehr leise. Welchen Satz hören Sie? Kreuzen Sie an.

1. ☐ Er steht auf.　　　　　☐ Er steht schon auf.
2. ☐ Wir fangen an.　　　　☐ Wir fangen heute um 9 an.
3. ☐ Ich kaufe ein.　　　　 ☐ Ich kaufe morgen ein.
4. ☐ Seht ihr immer fern?　☐ Seht ihr immer abends fern?
5. ☐ Fährst du los?　　　　☐ Fährst du heute los?
6. ☐ Rufst du abends an?　☐ Rufst du abends immer an?

33d Track 41

Hören Sie die richtigen Sätze laut und sprechen Sie nach.

die Familie

die Eltern: _____

die Kinder: _____

05 .... Wünsche und Träume

Nomen

der Wunsch, ü-e
der Traum, -ä-e
die Familie, -n
die Eltern (nur Pl.)
der Vater, -ä-
die Mutter, -ü-
der Sohn, -ö-e
die Tochter, -ö-
die Geschwister (nur Pl.)
der Bruder, -ü-
die Schwester, -n
die Großeltern (nur Pl.)
der Großvater, -ä-
die Großmutter, -ü-
der Enkel, -
die Enkelin, -nen
die Tante, -n

der Onkel, -
das Kind, -er
das Baby, -s
der Zwilling, -e
der Single, -s
der Erfolg, -e
das Glück (nur Sg.)
die Gesundheit (nur Sg.)
die Liebe (nur Sg.)
das Leben, -
die Angst, Ä-e
der Spaß, -ä-e
der Weg, -e
das Ziel, -e
der Musiker, - /
die Musikerin, -nen
die Gitarre, -n
der Star, -s

der Fan, -s
der Song, -s
Europa
der Garten, -ä-
der Zoo, -s
der Affe, -n
der Fotograf, -en /
die Fotografin, -nen
der Journalist, -en /
die Journalistin, -nen
die Welt (nur Sg.)
die Weltreise, -n
die Million, -en
das Geld, -er
der Bestseller, -
die Überraschung, -en

2

Assoziationen

die Mutter

die Familie

wichtig

3

Beispiele

Menschen: sympathisch, _____

_____

Situationen, Dinge: leicht, _____

_____

Menschen und Dinge: _____

_____

der Onkel

die Tante

die Großeltern: _____

die Geschwister: _____

Verben

wünschen
leben
denken
bleiben
singen
kennen
lieben
surfen
verkaufen
anschauen, schaut an
schreien
verstehen
fliegen
gewinnen
können, kann
möcht-, möchte
heiraten

Adjektive

verheiratet
jung
hübsch
sympathisch
unsympathisch
nett
interessant
mutig
neugierig
glücklich
positiv
super
leicht
schwer
gefährlich
spannend

wichtig
möglich

Wendungen

Welche Wünsche haben Sie?
Leo ist unser erstes Kind.
Das finde ich auch / nicht.
Wie alt sind Sie?
Ich bin 20 Jahre alt.
am Anfang
um (die Welt)

Kleine Wörter

schon
noch
vielleicht
nur
so
plötzlich
aber
jetzt
wieder
zusammen
allein

4

Kombinationen
_____

gesund	laut	gut
schön	neugierig
toll	pünktlich	immer

fliegen	schreien
singen	leben
gewinnen	denken
lieben	bleiben

gesund leben, _____

_____

_____

5

Rätsel
_____

Wünsche:

der E☐☐☐g,

das G☐☐k,

die G☐☐☐☐☐☐t,

die L☐☐e,

der S☐ß.

6 📋 *Seite 60-61 KB, 1-2*

Ein Interview: Schreiben Sie die Fragen.

1. _____?

Ich heiße Peter, meine Frau heißt Clara.

2. _____?

Wir wohnen in Hamburg.

3. _____?

Ja, wir sind seit drei Jahren zusammen.

4. _____?

Ja, wir haben einen Sohn und eine Tochter.

5. _____?

Der Sohn ist zwei Jahre alt, die Tochter zwei Monate.

6. _____?

Glück und Gesundheit.

7

haben oder sein? Ordnen Sie zu.

v̶e̶r̶h̶e̶i̶r̶a̶t̶e̶t̶ | z̶w̶e̶i̶ Kinder | 20 Jahre alt | Single | Erfolg |
einen Sohn | einen Freund | glücklich | Glück

haben: *zwei* _____

_____

sein: *verheiratet* _____

_____

8

Ergänzen Sie die Formen von haben.

A: _____ du Kinder?

B: Ja, ich _____ eine Tochter. Sie _____

leider keinen Bruder und keine Schwester.

A: Ja, das ist schade. Ihr _____ aber noch Zeit.

B: Vielleicht _____ wir Glück und bekommen

noch ein Kind.

9 📋 *Seite 61 KB, 2*

Ergänzen Sie.

die Eltern: _____ + die Mutter

die Kinder: _____ + _____

die Geschwister: der Bruder + _____

die Großeltern: der Großvater + _____

10

Ergänzen Sie die Wörter.

Heidi: Wir haben Zwillinge, zwei Mädchen. Jetzt haben wir zwei _____ und einen Sohn.

Karin: Wir sind eine große Familie. Meine Eltern haben zwei Töchter und drei Söhne. Ich habe also drei_____

und eine _____. Zusammen habe ich vier _____.

Paul: Wir haben zwei Kinder – einen _____ und eine _____.

Josef: Ich bin seit gestern Großvater. Ich habe einen _____.

*Seite 62 KB, **3-5***

Eine E-Mail mit Fehlern. Korrigieren Sie die Wörter.

Hallo Anke,
ich muss dir etwas erzählen: Ich habe einen Freund! Er heißt Klaus und ist so s◊ß! Klaus ist erst 20 Jahre a◊◊,
also noch ziemlich ju◊◊, aber das ist kein Problem. Er ist so ◊◊tt! Auch meine Eltern finden Klaus sympat◊◊◊◊h.
Klaus ist Sänger in einer Band. Das ist doch i◊◊eres◊◊nt. Du fragst sicher: Was ist mit Jürgen?Jürgen ist out.
Er ist so lan◊◊◊◊lig. Klaus ist meine große Liebe.
Bis bald,
Sonja

12

Eltern und Kinder. Schreiben Sie Fragen und Antworten.

1. *Ist das dein* Lippenstift? *Nein, das ist nicht mein Lippenstift.*

2. _____ Spiegel? _____

3. _____ Zigaretten? _____

4. _____ Kinokarte? _____

5. _____ DVD? _____

13

Wir heiraten! Ergänzen Sie die Possessivartikel.

A: Mein Haus ist dein Haus, aber m_____ (1) DVDs sind nicht d_____ (2) DVDs.
B: M_____ (3) Freunde sind d_____ (4) Freunde, aber m_____ (5) Freundinnen sind nicht d_____ (6) Freundinnen.
A: Ja, ja. M_____ (7) Freund ist d_____ (8) Freund, aber s_____ (9) Frau ist nicht d_____ (10) Freundin.
B: Ich weiß. U_____ (11) Eltern sind u_____ (12) Problem.
A: Ja. D_____ (13) Mutter und m_____ (14) Mutter, das geht nicht. Aber d_____ (15) Vater und m_____ (16) Vater – das ist o.k.
B: Und e_____ (17) Auto! Das ist hässlich.
A: Das Auto gehört Mutter. Es ist i_____ (18) Auto.
B: Hörst du? Das ist u_____ Lied. (19) Ich möchte tanzen.
A: Gern. Ach ja, ich liebe dich.

14

Vorstellungen. Ergänzen Sie die Possessivartikel.

mein | ihr | meine | unsere | Ihre | unsere | meine | eure | deine

Herr Gruber: Guten Tag. _____ Name ist Gruber, Franz Gruber. Das ist _____ Frau Renate.
Herr Müller: Und das sind sicher _____ Kinder.
Herr Gruber: Ja, das sind _____ Töchter Ines und Kerstin.

Hans: Hallo Lars, hallo Anja! Ist das _____ Tochter?
Lars: Ja, das ist _____ Mara.
Hans: Tja, Anja, _____ Tochter ist so hübsch wie du.
Lars: Sie ist auch _____ Tochter.
Hans: Aber sie sieht nicht aus wie du. Das ist _____ Glück.
Lars: Haha!

15a 📃 *Seite 63 KB, 6-9*

Was passt zusammen? Verbinden Sie.

1. ein Ziel	a. lieben
2. die Arbeit	b. denken
3. eine Reise	c. bleiben
4. das Leben leicht	d. haben
5. positiv	e. sein
6. neugierig	f. nehmen
7. gesund	g. machen

15b

Schreiben Sie die Imperative.

1. _____
2. _____
3. _____
4. _____
5. _____
6. _____
7. _____

15c

Schreiben Sie die Wünsche aus 15b zu den Sätzen.

1. _____ Du willst etwas? Das ist gut!
2. _____ Zu Hause bleiben ist langweilig.
3. _____ Du hast nur ein Leben!
4. _____ Negativ denken die anderen.
5. _____ Nur so lernst du Neues.
6. _____ Gesundheit kann man nicht kaufen.

Liebe deine Arbeit!

Die Arbeit macht das Leben interessant.

16

Eltern und ihre Kinder: Was sagen sie? Schreiben Sie.

1. essen – den Salat: *Esst den Salat!*

2. sein – leise: _____

3. lernen – die Wörter: _____

4. spielen – Fußball: _____

5. haben – keine Angst: _____

6. gehen – schlafen: _____

17

Geben Sie Tipps.

früh schlafen gehen | ~~Milch mit Honig trinken~~ | zu Hause bleiben | pünktlich aufstehen | glücklich sein | nicht so viel kaufen | eine Reise machen | positiv denken

1. Ich kann nicht schlafen. *Trink Milch mit Honig.*

2. Ich komme immer zu spät. _____

3. Ich bin immer müde. _____

4. Sonntags mache ich nichts. _____

5. Wir haben kein Geld. *Kauft* _____

6. Wir haben viel Spaß. _____

7. Wir möchten die Welt sehen. _____

8. Wir sind nicht glücklich. _____

Seite 64-65 KB, 10-11

Was passt zu wem? Ordnen Sie die Sätze zu.

Elisa: 4, _____   Sebastian: _____   Nora: _____   Johannes: _____   Klaus: _____

1. Wir haben total viel Spaß!
2. Ich bin alt, sehr alt.
3. Fotografieren ist mein Leben!
4. Ich bin Musikerin.
5. Ich wohne in Kalifornien.

6. Die Affen sind lustig.
7. Ich bin im Zoo.
8. Ich habe ein Haus mit Garten.
9. Ich habe viele Fans, nicht nur in Europa.
10. Ich fliege und fotografiere.

11. Alle kennen und lieben meine Songs.
12. Ich bin Fotograf.
13. Meine 22 Enkel spielen.
14. Ich habe einen Sportshop und verkaufe Surfboards.
15. Ich schaue die Affen an.

18b

Ergänzen Sie: *möchte / möchten* und *kann / können*.

1. Elisa _____ toll singen.
2. Nora _____ die Affen verstehen.
3. Klaus _____ fliegen.
4. Johannes _____ gern tanzen.
5. Sebastian, sein Bruder und seine Schwester _____ alle super surfen.
6. Alle Zeitungen _____ Klaus' Fotos, aber er _____ nur Spaß.

19a

Verbinden Sie die Sätze.

1. Meine Tante kann viele Sprachen,
2. Ihre Familie ist sehr groß,
3. Ich habe noch keine Kinder,
4. Ich kann gut surfen und schwimmen,
5. Seine Tochter spricht gut Französisch und
6. Meine Großeltern tanzen gern und
7. Mein Bruder möchte gern nach Kalifornien fliegen,
8. Wir haben viel Stress,

a. aber ich möchte später gern zwei oder drei Kinder haben.
b. machen am Sonntagnachmittag mit ihren Freunden einen Tanzkurs.
c. aber leider habe ich keine Zeit für Sport.
d. sie spricht Englisch, Französisch, Spanisch und ein wenig Russisch.
e. aber leider hat er kein Geld für eine Reise in die USA.
f. sie möchte nächstes Jahr in Frankreich studieren.
g. sie hat fünf Onkel, vier Tanten, drei Schwestern und vier Brüder.
h. wir möchten weniger arbeiten und mehr Spaß haben!

19b

Was können die Personen? Was möchten sie?
Ergänzen Sie die Formen von *möcht-* oder *können*.

1. Mein Onkel _____ perfekt Englisch und Russisch. _____ du auch eine Fremdsprache so gut sprechen?
2. Ich _____ ein Haus mit Garten. Was _____ du haben?
3. Meine Eltern _____ gern nach Argentinien fahren. Sie _____ aber kein Spanisch oder Englisch.
4. _____ ihr gut singen? Ich _____ einen Karaoke-Abend machen.
5. Ich _____ jetzt Musik hören! _____ du bitte leise sein?
6. Mein Freund und ich _____ gern ein Foto machen. _____ du gut fotografieren?

20a *Seite 66 KB, 12-13*

Welche Informationen sind falsch? Markieren Sie.

Die Sängerin Meike Winnemuth gewinnt in einem Radio-Quiz
500.000 Euro und reist zwei Jahre um die Welt. 24 Monate –
jeden Monat eine andere Stadt: Barcelona, Tel Aviv, Mumbai,
Addis Abeba … Sie schreibt ein Buch über das Radio-Quiz.
Ihr Buch ist leider kein Bestseller.

20b

Schreiben Sie den Text richtig.

_____

_____

_____

_____

_____

21a

Lesen Sie die Postkarten und markieren Sie die Verben.

Liebe Rosie,
hier ist es wunderschön!
Ich habe viel Spaß!
Liebe Grüße
Fanny

Frau Rosie Meier
Blumenstr. 2
72072 Tübingen

Liebe Anja,
ich bin glücklich!
Ich habe keine
Termine und keinen
Stress.
Gruß und Kuss!
Dein Florian

Anja Simon
Schulstraße 27
65719 Hofheim

Lieber Fred,
es ist leider nicht so toll
hier. Das Leben ist teuer
und ich habe kein Geld.
Grüße
Monika

Fred Mittag
Berlinerstr. 102
04205 Leipzig

21b

Was erzählen die Leute zu Hause? Ergänzen Sie.

1. Fanny: „Es war wunderschön. Ich hatte _____

2. Florian: „Ich war _____

_____

3. Monika: „Es war leider _____

_____

21c

Was können Sie über die Leute erzählen? Schreiben Sie.

1. Fanny hatte _____

2. Florian _____

3. Monika _____

22a *Track 42*

Hören Sie das Telefongespräch. Was ist richtig? Kreuzen Sie an.

Daniels Reise nach Südamerika war …   ☐ toll und er hatte viel Spaß.   ☐ nicht so toll und er hatte manchmal Angst.

22b

Hören Sie noch einmal. Ergänzen Sie: war, ist, hatte, sind.

Lukas: Hallo, Daniel! Wie _____ deine Reise?

Lukas: _____ es manchmal gefährlich?

Lukas: Oh, das _____ cool! Ich möchte bitte
bald deine Fotos sehen, ja?

Lukas: Oh, super! Bis dann!

Daniel: Hi, Lukas! Meine Reise _____ wunderschön und sehr interessant.
Südamerika _____ wirklich toll und auch spannend …

Daniel: Nein, gar nicht. Ich _____ nie Angst! Ich _____ auch so viel
Spaß! Und die Leute – die Leute dort _____ so nett …

Daniel: Klar, das _____ kein Problem. Komm einfach und wir sehen sie
uns am Computer an!

Daniel: Bis dann, ciao!

23a *Seite 67 KB, 14-16*

Ergänzen Sie und markieren Sie gleiche Verbformen.

	wollen	müssen	können	möcht-
ich			kann	
du			kannst	
er / sie / es	will	muss		möchte
wir	wollen		können	
ihr		müsst		möchtet
sie	wollen			möchten
Sie		müssen		
Beispiel	Ich will lange schlafen!	Ich muss jeden Tag arbeiten.	Ich kann alles verstehen.	Ich möchte tanzen!

23b

Schreiben Sie Sätze.

1. eine super Party / machen / will / am Wochenende / Luisa   _____

2. am Samstagmorgen / Chris / möchte / aufstehen / nicht   _____

3. müssen / Henriette und Martin / am Sonntag / auch / arbeiten   _____

4. nach Indien / fahren / möchte / Frau Leiner   _____

5. Vanessa / singen / sehr gut / kann   _____

6. will / Familie Huber / verkaufen / ihr Haus mit Garten   _____

23c

Wie ist Ihr Deutsch? Schreiben Sie Sätze.

1. wollen: lernen / Deutsch   *Ich will* _____

2. müssen: jeden Tag / üben / ein wenig   *Ich* _____

3. können: sprechen / jetzt / schon / ein wenig   _____

4. möcht-:   bald / verstehen / mehr   _____

24

Was passt? Ergänzen Sie die passenden Formen von wollen, müssen, können, möcht-.

Jeden Tag _____ ich früh aufstehen und arbeiten. Aber ich bin immer noch so müde. Ich _____ lange schlafen und im Bett frühstücken und lesen. Ich _____ nicht immer arbeiten – das Leben ist so schön! Ich _____ zu Hause bleiben, meine Freunde treffen oder Sport machen. Ich _____ gut schwimmen, aber ich habe nie Zeit für mein Hobby. Am Abend _____ ich lesen, aber ich schlafe immer gleich ein. _____ das Leben so sein?

25a

Trennen Sie die Wörter und schreiben Sie den Satz.

DieBrüderküssendieMütterundwünschenGlück.

_____

_____

25b Track 43

Hören Sie und ergänzen Sie.

1. Wir _____ immer _____ sein.

2. Deine _____ sind _____ .

26

Elfchen – 11 Wörter sind ein Gedicht. Schreiben Sie ein Elfchen.

Ein Wort:	_Traum._
Zwei Wörter:	_Viele Blumen._
Drei Wörter:	_Die Sonne scheint._
Vier Wörter:	_Das Leben ist schön._
Ein Wort:	_Aufwachen._

_____

_____

_____

_____

27

Meine Familie: Schreiben Sie über Ihre Familie.

Meine Eltern …
Ich habe … Brüder und
… Schwestern
Mein Bruder …
Meine Schwester …

Mein Mann / Meine Frau
heißt …
Ich habe … Sohn / Söhne und
Tochter / Töchter.

Er / Sie ist … Jahre alt.
Er / Sie heißt …
Er / Sie lebt in …
Er / Sie ist … von Beruf.

_____

_____

_____

28

Was können Sie (nicht)? Was möchten Sie (nicht)? Ergänzen Sie.

Ich kann sehr gut … Gut kann ich auch …
Nicht so gut kann ich …
Ich möchte gern … Gern möchte ich auch …
Ich möchte nicht …

Ich kann schon ein wenig Deutsch sprechen und
verstehen, aber ich möchte …

Track 44

Ö- und Ü-Laute: Hören Sie die Beispiele.

die TÖchter – die SÖHne

die MÜtter – die BrÜder

  Track 45

Ö- und Ü-Laute: kurz (.) oder lang (_)?
Hören Sie und markieren Sie.

hören | möchten | können | mögen | plötzlich | möglich |

wünschen | müssen | früh | glücklich | süß | hübsch

29c

Hören Sie noch einmal und sprechen Sie nach.

  Track 46

Wortpaare mit kurzen und langen Ö- und Ü-Lauten:
Hören Sie und sprechen Sie nach.

die TÖchter – die SÖhne | die WÖrter – die BrÖtchen |
zwÖlf – schÖn

die MÜtter – die BrÜder | die WÜnsche – die BÜcher |
fÜnf – fÜr

  Track 47

Gute Wünsche: Hören Sie und sprechen Sie emotional nach.
Achten Sie auf die Ö- und Ü-Laute.

Zwölf Wünsche. Hör gut zu! | Frühstücke sehr früh am Morgen! |
Iss Brötchen zum Frühstück! | Sei immer pünktlich! | Küss oft! |
Lies Bücher! | Reise nach Österreich! | Sei glücklich! |
Besuch Köln und München! | Lern Französisch und Türkisch! |
Kauf keine Hüte! | Hör jeden Tag fünfzehn Minuten Musik! |
Sag tschüss!

30a *Track 48*

Wortpaare mit E-, O- und Ö-Lauten und mit I-, U- und Ü-Lauten:
Hören Sie und sprechen Sie nach.

1. kennen – können
2. Tochter – Töchter
3. schon – schön
4. vier – für
5. Mutter – Mütter
6. Bruder – Brüder

30b *Track 49*

Welches Wort hören Sie? Markieren Sie in 30a.

31a   *Track 50*

Familiennamen: Hören Sie und sprechen Sie nach.

Moller – Meller – Möller | Mohler – Mehler – Möhler |
Muller – Miller – Müller | Muhler – Mieler – Mühler

31b

Gleiche Vokale: Was passt zusammen? Schreiben Sie Sätze.

ist hübsch | ist schön | ist süß | wohnt in Köln

1. Björn Möller _____.
2. Sören Möhler _____.
3. Jürgen Müller _____.
4. Lydia Mühler _____.

31c   *Track 51*

Hören Sie die Lösung und sprechen Sie nach.

01

4	1. Ich heiße … 2. Wie geht's? 3. Wie heißt das auf Deutsch?
5	Fußball, Tee, Taschentuch, Theater, Schlüssel, Lippenstift, Spiegel, Hallo
6	1c, 2a, 3b
7	heißt, heißen; bist, sind; heiße, bin
8	Ich, du, ich, Ich; Sie, Ich, Ich, Ich
10	Er mag Tee, Schokolade, Theater, Tennis und Sport. Sie mag Kaffee, Chips, Musik, Fußball und Kino.
11	1. oder 2. und, und 3. oder 4. oder, und
12a	Maja: Graz, Kaffee, Schokolade, Musik; Karla: Köln, Kino, Theater
13	du/er/sie heißt, Sie heißen, ich komme aus, du kommst aus, er/sie kommt aus, Sie kommen aus, ich bin, du bist, er/sie ist, Sie sind
14	1. Guten Morgen! 2. Guten Tag! 3. Guten Abend! 4. Gute Nacht!
15a	1d, 2e, 3a, 4c, 5b
15c	Begrüßung: Guten Morgen! Guten Tag! Guten Abend! Hallo. Verabschiedung: Auf Wiedersehen! Tschüss. Ciao. Gute Nacht!
16a	1. Guten Tag! Wie geht es Ihnen? – Danke, gut. 2. Hallo! Wie geht's? – Danke, gut.
16b	1. Wie geht es Ihnen? 2. Wie geht es dir?/Wie geht's? 3. Wie geht's?/Wie geht es dir? 4. Wie geht es Ihnen?
17	2. die Schokolade 3. das Portmonee 4. der Lippenstift 5. das Taschentuch 6. die Zigarette 7. die Zeitung 8. die Zahnbürste
18	die Brille, der Spiegel, der Stift, das Heft, das Buch, das Foto, das Handy
19a	der Spiegel, der Lippenstift, das Handy, das Portmonee, die Tasche, die Zeitung, die Schokolade
19b	Brille, Schlüssel, Taschentuch, Zigarette, Spiegel, Portmonee
20a	1. der Kaffee, 2. das Handy, 3. die Schokolade, 4. die Zeitung, 5. das Buch, 6. die Zigarette, 7. der Tee, 8. das Heft
20c	1. -, 2. die Handys, 3. -, 4. die Zeitungen, 5. die Bücher, 6. die Zigaretten, 7. -, 8. die Hefte
21	die Frau, der Vorname, der Nachname, das Kino, die E-Mail
22a	-n: Tasche, Zigarette, Name, Flasche; -s: Kino, Foto, Portmonee, E-Mail; ⸚: Schlüssel
22b	1. Flaschen, 2. Die Fotos und die Kinos! 3. Die Spiegel und die Schlüssel! 4. Die Bücher und die Tücher!
23c	1. das Z, 2. das ß, 3. das w, 4. das ß, 5. das ü, 6. das Ö, 7. das ö, 8. das ä, 9. das W
24a	2. MANN – der Mann, 3. SONNE – die Sonne, 4. REGEN – der Regen, 5. MUSIK – die Musik, 6. SPORT – der Sport
24d	1. Schwemmer, 2. Heinrich, 3. Maurits
25a	1. Name, Berlin, Deutschland, Sonne, Berlin; 2. Ich, Max, Wien, Ich, Österreich, Kaffee, Bücher, Zeitungen; 3. Ich, heiße, Moritz, und, ich, komme, aus, Luzern, Ich, mag, Schweiz, Ich, mag, Theater, und, Sport
25b	Ich mag das Buch und das Taschentuch. Sie mag Österreich und die Schweiz. Er mag Sport und Schokolade.
28b	Foto, Kino, Buch, Zigarette, Theater, Vorname, Wien, Berlin, Hamburg, Luzern, kommen, heißen
29b	ich, sie, du , die, das, der, ja, wie, gut, tschüss, danke, bitte, hallo, gehen, kommen, der Tag, die Nacht, der Abend, die Sonne, der Regen

02

5	1. Was ist das? 2. Woher kommt das? 3. Was kostet das? 4. Woher kommen Sie?/ Woher kommst du?
7	Blume, Auto, Gummibärchen, Tasse, Postkarte, Wein, Messer
8	Sport machen, ins Kino gehen, Musik machen/hören, Fußball spielen, ins Restaurant gehen, shoppen gehen, tanzen gehen, Pause machen
9	2. Spielst – spiele, 3. Machst – mache, 4. Gehst – gehe, 5. und 6. Fotografierst/Schwimmst – fotografiere/schwimme
10a	Er: geht – ins Restaurant, spielt – Computer, hört – Musik; geht nicht – tanzen, telefoniert nicht, reist nicht. Sie: telefoniert, fotografiert, reist, lacht, macht – Musik; geht – ins Restaurant, geht nicht – spazieren, schwimmt nicht
10b	1. Ja, er geht gern ins Restaurant. 2. Nein, er geht nicht gern tanzen. 3. Nein, sie geht nicht gern ins Restaurant. 4. Nein, sie geht nicht gern schwimmen.
11	1. Gehst du gern ins Kino? 2. Reisen Sie gern? 3. Spielt sie gern Computerspiele? 4. Spielst du auch gern Computerspiele? 5. Lacht er gern?
12a	B, E, A, F, D, I, C, G
13	gehen, gehen; macht, geht; machen, gehen, gehen
14a	ihr, Wir, ihr, Wir, wir
14b	du, du, ich, Ich, du, Ich, sie, Sie
15	du machst, er/sie macht, wir machen, sie machen; ich gehe, du gehst, er geht, ihr geht, sie/Sie gehen; ich reise, du reist, er/sie reist, wir reisen, sie/Sie reisen
16a	Peru, Brasilien, Portugal, Kanada, Türkei, Polen, China, USA, Italien, Russland, Spanien, Indien, Niederlande
17a	nach: Peru, Brasilien, Portugal, Kanada, Polen, China, Italien, Russland, Spanien, Indien; in die: Türkei, USA, Niederlande
17b	nach, in die, nach, in die, nach, in die
18	China, Griechenland, Frankreich, Ich bleibe zu Hause.
19a	2. ein Herz, 3. eine Blume, 4. ein Hut, 5. Gummibärchen
19b	2. Das Herz – Deutschland, 3. Die Blume – Österreich, 4. Der Hut – Österreich, 5. Die Gummibärchen – Deutschland
20a	der Fußball, der Wein, das Messer, das Auto, die Tasse, die Postkarte, lecker, cool, langweilig, hässlich, schön, lustig
21	ein Fußball; kein, ein Heft; eine, eine Flasche Wein; -, keine Gummibärchen
22	1. vier, 2. dreizehn, 3. zwölf, 4. siebzehn, 5. sechs

23 2. Italien, 3. Spanien, 4. Österreich, 5. Türkei, 6. Frankreich, 7. Griechen-
    land, 8. Tunesien, 9. Ägypten, 10. USA

25 1. sieben, 2. sechs, acht, 3. neun, zwölf, 4. zehn, fünfundzwanzig,
    5. dreißig, sechzig, siebzig, 6. einundzwanzig

26 1. 37, 2. 26, 3. 22, 4. 34, 5. 78, 6. 16, 7. 49, 8. 80

27a 1. 46 €, 2. 2,50 €, 3. 1 CHF, 4. 23 CHF, 5. 2,10 €

27b 1. sechsundvierzig Euro, 2. zwei Euro fünfzig, 3. einen Franken,
     4. dreiundzwanzig Franken, 5. zwei Euro zehn

28 1. Was ist das? 2. Sprechen Sie Deutsch? 3. Was kostet das? 4. Woher
    kommen Sie?

29 1a, 2e, 3f, 4c, 5b, 6d

30 Sie, Nachname, Woher kommen Sie, wohnen Sie, reise gern, Was
    machen Sie gern, Sprechen Sie Deutsch

31 1. aus, in, nach, in die, ins, 2. aus der, in, nach, ins

32a Englisch, Spanisch, Russisch, Chinesisch, Japanisch, Deutsch, Hindi

32b Arabisch in Tunesien / Ägypten / ..., Englisch in Großbritannien / in den
     USA / ..., Spanisch in Spanien / Peru / ..., Russisch in Russland, Chinesisch
     in China, Japanisch in Japan, Deutsch in Deutschland / Österreich / in
     der Schweiz, Hindi in Indien

33a Schweiz, Deutsch, Französisch, Italienisch, China, Chinesisch, Englisch,
     Deutsch, Brasilien, Portugiesisch, Spanisch, Deutsch, Marokko,
     Arabisch, Französisch, Deutsch

33b Sie, Sie, sie, sie, Sie, sie, sie

36b Woher kommst du? Ich komme aus Österreich. Was machst du gern?
     Hörst du gern Musik? Gehst du gern ins Kino? Ich fotografiere gern.
     Ich reise gern. Wohin reist du? Ich reise gern nach Spanien. Sprichst
     du Spanisch? Nein, ich spreche Deutsch. Das ist lustig.

36c Woher kommst du?↗ Ich komme aus Österreich. ↘ Was machst
     du gern? ↘ Hörst du gern Musik? ↗ Gehst du gern ins Kino? ↗ Ich
     fotografiere gern. ↘ Ich reise gern. ↘ Wohin reist du? ä Ich reise gern
     nach Spanien. ↘ Sprichst du Spanisch? ↗ Nein, ich spreche Deutsch.
     ↘ Das ist lustig. ↘

37a 1. Wie heißen Sie? ↘ 2. Wie heißen Sie? ↗ 3. Woher kommen Sie? ↗
     4. Woher kommen Sie? ↗ 5. Was macht sie gern? ↘ 6. Was macht sie
     gern? ↗ 7. Sie geht gern shoppen. ↘ 8. Sie geht gern shoppen? ä 9.
     Was ist das? ↗ 10. Was ist das? ↘ 11. Das ist eine Tasse. ↘ 12. Das ist
     eine Tasse? ↗

37c 1. Wie heißen Sie? ☺ 2. Wie heißen Sie? ☹ 3. Woher kommen Sie? ☺
     4. Woher kommen Sie? ☹ 5. Was macht sie gern? ☹ 6. Was macht sie
     gern? ☺ 7. Was ist das? ☺ 8. Was ist das? ☹

03

4 1. Ein Schwarzbrot bitte. 2. Was macht das? / Wie viel kostet das? 3. Ja,
   ich habe Hunger und ich habe auch Durst. 4. Was darf es sein? / Was
   möchten Sie? / Was nehmen Sie?

5 1. das Ei, 2. die Marmelade oder der Honig, 3. die Brötchen.

6 weich – hart, mager – fett, süß – salzig

7 das Brötchen, die Brezel, das Schwarzbrot

8a 1b, 4c, 2a, 3d

9 ich esse, du / er / sie isst, ihr esst, wir / sie essen

10a +++ immer, ++ oft, + selten, – nie

10b esse, oft, isst, oft, essen, isst, selten, isst, oft, isst, immer, isst, nie

11 die Milch, die Marmelade, der Honig, das Brot, der Schinken, das Ei,
    der Käse, die Butter

12 frisch, gesund, weich, fett, mager, süß

13a zum Beispiel: die Marmelade: essen, süß, weich; der Tee: trinken,
     gesund; die Milch: trinken, gesund; der Schinken: essen, salzig; das Ei:
     essen, hart, weich; die Butter: essen, hart, weich; die Banane: essen,
     süß, weich, gesund

14a 1. der Brotsalat, 2. das Salatbrot, 3. das Butterbrot, 4. der Brotkorb

14b 2. der Salat + das Brot, 3. die Butter + das Brot, 4. das Brot + der Korb,
     5. das Frühstück + das Brot, 6. das Brot + die Zeit, 7. die Pause + das
     Brot, 8. der Mittag + die Pause

15a Butterbrot (B6), Scheibe (A9), Schinken (E8), Honig (H10), Pausenbrot
     (B2), Abendbrot (B4)

15b morgens – zwischendurch – mittags – zwischendurch – abends

16a → Sushi, Hamburger, Pommes, Wasser, Cola, Limonade;
     ↓ Pizza, Salat, Bier, Wurst, Apfelsaft

17 1. mag, magst, Mag; 2. mögen, mögt, mögen; 3. Mögen, mag, mag,
    mögen

18 Die Frauen: essen sehr gern, essen gern, mögen. Die Männer: essen
    sehr gern, essen gern, mögen

19 1. Lena isst morgens nie Hamburger. 2. Mittags isst Lena oft Pommes
    und trinkt eine Cola. 3. Sie isst jeden Tag ein Pausenbrot. 4. Abends
    trinkt sie einmal pro Monat ein Bier.

20 2. Das ist ein Salat. 3. Das ist ein Hähnchen. 4. Das ist eine Limonade. 5.
    Das ist ein Mineralwasser. b. Ich bezahle einen Salat. c. Ich bezahle ein
    Hähnchen. d. Ich bezahle eine Limonade. e. Ich bezahle ein Mineral-
    wasser.

21 1. hast, habe, einen, eine; 2. habt, haben, eine, einen, ein, ein; 3. haben,
    habe, einen, hat, ein, einen

22 2. Einen, keinen; 3. Eine, keine; 4. Ein, kein

23 Guten Tag. Was darf es sein? Pommes, bitte, und eine Wurst. Schnell
    bitte! Bratwurst oder Currywurst? Nein, keine Currywurst. Eine Brat-
    wurst, bitte. Mit Senf. Und zu trinken? Eine Cola, bitte. Die Pommes
    mit Ketschup oder Majo? Mit Ketschup, bitte. Und für Sie? Einen
    Hamburger und ein Bier. Okay, mach ich fertig.

24 haben, keine, isst, eine, trinkt, ein, mag, keine, isst, einen, trinkt, eine,
    haben, essen

25 zum Beispiel: das Vanilleeis, die Vanillesoße, die Apfeltorte, der Apfel-
    kuchen, der Schokoladenkuchen, die Schokoladentorte, das Schokola-
    deneis, das Schokoladenfondue, die Schokoladensoße, die Kaffeetorte,
    das Kaffeeeis, der Käsekuchen, die Käsetorte, das Käsefondue, die
    Käsesoße.

25c zum Beispiel: den Apfelkuchen, den Schokoladenkuchen, den Käse-
     kuchen.

26a du isst, er / sie / es isst, wir essen, ihr esst, Sie essen; ich nehme, er / sie / es nimmt, wir nehmen, ihr nehmt, sie nehmen, Sie nehmen; ich trinke, du trinkst, wir trinken, ihr trinkt, sie trinken, Sie trinken

26b 1. trinkst / nimmst, 2. essen / nehmen, 3. isst / nimmst, 4. essen / nehmen

26c 1. den Apfelstrudel, 2. den Apfelkuchen, 3. Der Käsekuchen, 4. den Vanilletee

26d 1. Was trinkst du? – Ich trinke den Vanilletee. 2. Was essen Sie? – Ich esse den Apfelkuchen. 3. Und was nimmst du? – Der Käsekuchen ist lecker. Ich nehme den Käsekuchen. 4. Wir nehmen das Schokoladen-fondue aus der Schweiz, und ihr? – Wir nehmen den Apfelstrudel und die Buchteln aus Österreich.

27a esse, Vollkornbrot, Butter, Bitte, Mineralwasser, nimmst, Dessert

27b Nimmst du, ein Mineralwasser, Butter, bitte

30b das Butterbrot – der Brotkorb, die Schokoladenmilch – der Milch-kaffee, die Bratwurst – der Wurstsalat, das Frühstücksei – das Eibrot, ein Honigbrötchen – ein Marmeladenbrötchen, ein Butterbrot – ein Schinkenbrot, ein Apfelsaft – ein Birnensaft, das Vollkornbrot – das Bauernbrot, der Käsekuchen – der Apfelkuchen

31b der Tee – der Senf, nehmen – essen, zehn – sechs, sehr - lecker

32b nehmen, sehr, lesen, gehen, Tee, zehn, Brezel, er

04

3 der Praktikant / die Praktikantin, der IT-Spezialist / die IT-Spezialistin, der Taxifahrer / die Taxifahrerin, der Hotelfachmann / die Hotelfachfrau, der Freund / die Freundin

4 52 Wochen, 12 Monate, 365 Tage, 24 Stunden, 60 Minuten

5 früh, unpünktlich, laut

6 1. Was machst du beruflich? 2. Wie lange / Wann arbeitest du? 3. Wie spät ist es? / Wie viel Uhr ist es? 4. Wann kommt der Bus?

7 fernsehen, schlafen, Auto fahren, Sport machen, sprechen, küssen, lesen, essen

8 Montag, Dienstag, Mittwoch, Donnerstag, Freitag, Samstag, Sonntag

9 du liest, er / sie / es liest, wir lesen, ihr lest, sie lesen, ich spreche, du sprichst, ihr sprecht, sie / Sie sprechen, ich schlafe, er / sie / es schläft, wir schlafen, sie / Sie schlafen, ich fahre, du fährst, er / sie / es fährt, wir fahren, ihr fahrt, Sie fahren

10a 2. fährt, 3. liest, 4. spricht, 5. sieht

10b 1. Ja, ich esse oft im Restaurant. 2. Lina, fährst du oft mit dem Auto? – Nein, ich fahre nicht oft mit dem Auto. 3. Paul, liest du oft Bücher und Zeitungen? – Ja, ich lese oft Bücher und Zeitungen. 4. Anna, sprichst du oft Deutsch mit Menschen aus Deutschland, Österreich und der Schweiz? – Ja, ich spreche oft Deutsch mit Menschen aus Deutschland, Österreich und der Schweiz. 5. Max, siehst du oft fern? – Nein, ich sehe nicht oft fern.

11a studieren, Student, arbeiten, Büro, Praktikum, arbeitslos, Firma, jobben, Beruf, beruflich

11b Sven Bode: Hotelfachmann, Aylin Torun: Studentin, Tom Broschek: Praktikant, Jana Mahl: IT-Spezialistin

12a 1. abends, 2. mittwochs, 3. am, 4. mittags, 5. Dienstag, 6. von – bis, 7. haben – frei

12b du arbeitest, er / sie arbeitet, ihr arbeitet

13 1c, 2b, 3d, 4a

14 1. um, 2. von – bis, 3. von – bis, 4. Am – bis, 5. um, 6. am

15a auspacken, aufwachen, aufstehen, ankommen

15b auspacken: packe – aus, ankommen: kommt – an, aufstehen: steht – auf, aufwachen: wachen – auf

16 schläft, steht auf, ist, kommt, packt – aus, isst

17a 1. Wann stehen Sie auf? 2. Wann fängt der Arbeitstag an? 3. Wie lange arbeiten Sie? 4. Was machen Sie abends? 5. Wann machen Sie Mittagspause?

17b zum Beispiel: Jeden Tag stehe ich um 7.15 Uhr auf. Ich mache Sport. Morgens esse ich immer ein Brötchen mit Honig und ich lese die Zeitung. Ich sehe am Morgen nie fern. Ich fange jeden Tag um 8.30 Uhr an. Am Freitag arbeite ich nicht.

18 laut, leise, leise, laut, laut, laut

19 Ruhetag, schlafen, wegwerfen, laut, willst, Die Geschäfte, man, spazieren, abends

20 2. Willst du auch spazieren gehen? 3. Wollen Sie auch am Nachmittag Kaffee trinken? 4. Wollt ihr auch am Sonntag lange schlafen? 5. Will er auch jeden Tag die Zeitung lesen? 6. Willst du Anna auch anrufen?

21 2. Sie wollen am Sonntag einen Krimi sehen. / Am Sonntag wollen sie einen Krimi sehen. 3. Wir wollen am Sonntag einkaufen. / Am Sonntag wollen wir einkaufen. 4. Ich will eine Zeitung lesen. 5. Ihr wollt im Fernsehen Fußball sehen.

22 ich will, du willst, wir wollen, ihr wollt, Sie wollen, ich muss, er / sie / es muss, wir müssen, sie / Sie müssen

23 2. wollen – müssen, 3. wollt – müsst, 4. willst – musst, 5. will – musst

24 2. musst – lernen, 3. will – essen, 4. müssen – machen, 5 müsst – arbeiten, 6 wollen – studieren

25a Das sagt er: 2, 4, 5; Das sagt er nicht: 1, 3, 6

25b 1. fernsehen, 2. ich muss nicht arbeiten, 3. ich will nicht lesen, 4. ich muss nicht telefonieren, 5. ich muss schlafen / essen / …

26 2. leise, 3. Taxifahrer, 4. zwölf Uhr fünfundvierzig

27a 1. halb fünf, 2. zehn nach eins, 3. Viertel vor neun, 4. fünf vor acht, 5. fünf nach halb zwölf

27b

27c 1. abends, 2. vormittags, 3. vormittags / abends, 4. nachmittags / nachts, 5. abends, 6. nachmittags

28a 1. Wann, Wie spät / Wie viel Uhr, 3. Wann, 4. wie viel Uhr

28b 2. Wann fährt der Bus los? – Um siebzehn Uhr zwanzig. / Um zwanzig nach fünf. 3. Wann musst du morgen arbeiten? – Um acht Uhr dreißig. / Um halb neun. 4. Wann willst du essen? – Um neunzehn Uhr fünfzehn. / Um Viertel nach sieben. 5. Wie spät ist es? – Es ist zwanzig Uhr fünf. / Es ist fünf nach acht. 6. Um wie viel Uhr musst du aufstehen? – Um sechs Uhr fünfundvierzig. / Um Viertel vor sieben.

29 am Wochenende, dienstags, donnerstags, am Mittwoch, samstags, am Samstag, Montag

32b aufwachen, aufstehen, losfahren, auspacken, anfangen, einkaufen, anrufen, fernsehen

33a 1. Er steht auf. | Er steht schon auf. | Er steht pünktlich um 8 auf. 2. Wir fangen an. | Wir fangen heute an. | Wir fangen heute um 9 an. 3. Ich kaufe ein. | Ich kaufe morgen ein. | Ich kaufe morgen im Supermarkt ein. 4. Seht ihr fern? | Seht ihr immer fern? | Seht ihr immer abends fern? 5. Fährst du los? | Fährst du heute los? | Fährst du heute pünktlich los? 6. Rust du an? | Rufst du abends an? | Rufst du abends immer an?

33c 1. Er steht auf. 2. Wir fangen heute um neun an. 3. Ich kaufe morgen ein. 4. Seht ihr immer fern? 5. Fährst du los? 6. Rufst du abends an?

05

3 *zum Beispiel*: Menschen: sympathisch, hübsch, nett; Situationen, Dinge: leicht, spannend, möglich; Menschen und Dinge: interessant, gefährlich, wichtig

4 *zum Beispiel*: gesund leben, laut schreien, gut leben, schön singen, neugierig bleiben, toll lieben, pünktlich fliegen, immer bleiben

5 der Erfolg, das Glück, die Gesundheit, die Liebe, der Spaß

6 1. Wie heißen Sie? 2. Wo wohnen Sie? 3 Sind Sie verheiratet? 4. Haben Sie Kinder? 5. Wie alt sind Ihre Kinder? 6. Welche Wünsche haben Sie für Ihre Kinder?

7 haben: Kinder, Erfolg, einen Sohn, einen Freund, Glück; sein: 20 Jahre alt, Single, glücklich

8 Hast, habe, hat, habt, habt, haben

9 der Vater, der Sohn, die Tochter, die Schwester, die Großmutter

10 Töchter, Brüder, Schwester, Geschwister, Sohn, Tochter, Enkel

11 süß, alt, jung, nett, sympathisch, interessant, langweilig

12 2. Ist das dein Spiegel? – Nein, das ist nicht mein Spiegel. 3. Sind das deine Zigaretten? – Nein, das sind nicht meine Zigaretten. 4. Ist das deine Kinokarte? – Nein, das ist nicht meine Kinokarte. 5. Ist das deine DVD? – Nein, das ist nicht meine DVD.

13 1. meine, 2. deine, 3. Meine, 4. deine, 5. meine, 6. deine, 7. Mein, 8. dein, 9. seine, 10. deine, 11. Unsere, 12. unser, 13. Deine, 14. meine, 15. dein, 16. mein, 17. euer, 18. ihr, 19. unser

14 Mein, meine, Ihre, unsere, eure, unsere, deine, meine, ihr

15a 1d, 2a, 3g, 4f, 5b, 6e, 7c

15b 1. Hab ein Ziel! 2. Liebe die Arbeit! 3. Mach eine Reise! 4. Nimm das Leben leicht! 5. Denk positiv! 6. Sei neugierig! 7. Bleib gesund!

15c 1. Hab ein Ziel! 2. Mach eine Reise! 3. Nimm das Leben leicht! 4. Denk positiv! 5. Sei neugierig! 6. Bleib gesund!

16 2. Seid leise! 3. Lernt die Wörter! 4. Spielt Fußball! 5. Habt keine Angst! 6. Geht schlafen!

17 2. Steh pünktlich auf! 3. Geh früh schlafen! 4. Bleib zu Hause! 5. Kauft nicht so viel! 6. Seid glücklich! 7. Macht eine Reise! 8. Denkt positiv!

18a Elisa: 4, 9, 11; Sebastian: 1, 5, 14; Nora: 6, 7, 15; Johannes: 2, 8, 13; Klaus: 3, 10, 12

18b 1. kann, 2. möchte / kann, 3. kann, 4. möchte, 5. können, 6. möchten, möchte

19a 1d, 2g, 3a, 4c, 5f, 6b, 7e, 8h

19b 1. kann, Kannst; 2. möchte, möchtest; 3. möchten, können; 4. Könnt, möchte; 5. möchte, Kannst; 6. möchten, Kannst

20a/b Die Journalistin Meike Winnemuth gewinnt in einer TV-Quizshow 500.000 Euro und reist ein Jahr um die Welt. 12 Monate – jeden Monat eine andere Stadt: Barcelona, Tel Aviv, Mumbai, Addis Abeba … Sie schreibt ein Buch über ihre Reise. Ihr Buch ist ein Bestseller.

21a ist, habe; bin, habe; ist, ist, habe

21b 1. viel Spaß, 2. glücklich. Ich hatte keine Termine und keinen Stress. 3. nicht so toll dort. Das Leben war teuer und ich hatte kein Geld.

21c 1. viel Spaß. 2. war glücklich. Er hatte keine Termine und keinen Stress. 3. Monika hatte kein Geld.

22a toll und er hatte viel Spaß.

22b war, war, ist, War, hatte, hatte, sind, ist, ist

23a will, willst, wollt, wollen, muss, musst, müssen, müssen, kann, könnt, können, können, möchte, möchtest, möchten, möchten

23b 1. Luisa will am Wochenende eine super Party machen. / Am Wochenende will Luisa eine super Party machen. 2. Chris möchte am Samstagmorgen nicht aufstehen. / Am Samstagmorgen möchte Chris nicht aufstehen. 3. Henriette und Martin müssen auch am Sonntag arbeiten. / Am Sonntag müssen Henriette und Martin auch arbeiten. 4. Frau Leiner möchte nach Indien fahren. 5. Vanessa kann sehr gut singen. 6. Familie Huber will ihr Haus mit Garten verkaufen.

23c 1. Ich will Deutsch lernen, 2. Ich muss jeden Tag ein wenig üben. 3. Ich kann jetzt schon ein wenig sprechen. 4. Ich möchte bald mehr verstehen.

24 muss, möchte / will, möchte / will, möchte / will, kann, möchte / will, Muss

25a Die Brüder küssen die Mütter und wünschen Glück.

25b 1. müssen, pünktlich, 2. Brüder, hübsch

29b hören, möchten, können, mögen, plötzlich, möglich, wünschen, müssen, früh, glücklich, süß, hübsch

30b 1. können, 2. Tochter, 3. schön, 4. für, 5 Mutter, 6. Brüder

31b 1. Björn Möller wohnt in Köln. 2. Sören Möhler ist schön. 3. Jürgen Müller ist hübsch. 4. Lydia Mühler ist süß.